ESTE NÃO É MAIS UM LIVRO DE DIETA

Gente
editora

Diretora
Rosely Boschini

Gerente Editorial
Carolina Rocha

Assistente Editorial
Audrya de Oliveira

Analista de Produção Editorial
Karina Groschitz

Controle de Produção
Fabio Esteves

Copidesque
Ricardo Lelis

Preparação
Renata Lopes Del Nero

Revisão
Carla Fortino

Projeto gráfico e Diagramação
Estúdio Mandrágora

Capa
Rafael Brum

Impressão
Gráfica Assahi

Dados Internacionais de Catalogação na Publicação (CIP)
Angélica Ilacqua CRB-8/7057

Polesso, Rodrigo
  Este não é mais um livro de dieta : o novo e libertador estilo de vida
alimentar para saúde e boa forma que derruba o conceito de dietas / Rodrigo
Polesso. -- São Paulo : Editora Gente, 2018.
  224 p.

ISBN 978-85-452-0286-8

  1. Saúde 2. Bem-estar 3. Hábitos alimentares 4. Alimentos 5. Nutrição 6.
Qualidade de vida I. Título

18-1662   CDD 613

Índice para catálogo sistemático:

1. Saúde : Hábitos alimentares

Alimentação Forte é um novo e libertador estilo alimentar para manter a saúde e a boa forma que bota abaixo o conceito de "dieta".

Espero que, com este livro, você alcance todos os seus objetivos e conquiste uma vida mais feliz e realizada com seu corpo e sua mente.

Rodrigo Polesso

Gostaria de dedicar este livro àquelas pessoas que, como eu e você, acreditam em evolução contínua e buscam ativamente viver sendo a absoluta melhor versão de si próprias. Aquelas pessoas que olham para frente, que priorizam saúde e bem-estar, que questionam e opinam, que são fontes de inspiração e positividade e que buscam sempre pela verdade em meio ao caos de informações confusas tendo o legítimo e hones-to interesse em viver a melhor vida que se pode viver, com melhor saúde, mente e corpo.

AGRADECIMENTOS

Gostaria de agradecer do fundo do meu coração a todas as pessoas que confiam no meu trabalho, amigos, colegas e parceiros que mesmo em meio a um mundo muitas vezes avesso, se comprometem a viverem de acordo com os mais altos níveis de integridade em todos aspectos. Acredito que a única forma de mudar o mundo é mudando a nós mesmos e que, no ponto em que estivermos focando mais em nos moldarmos de acordo com nossos próprios padrões e não mais com os padrões sugeridos a nossa volta, estaremos bem mais perto da harmonia e do equilíbrio.

Com o coração aberto como uma cachoeira agradeço imensamente pelo eterno e incondicional amor e estabilidade que sempre tive o privilégio de ter com a minha amada mãe, Marisa, e amado pai, Romeu. Sou imensa e eternamente grato por ser seu filho. Agradeço também pela parceria, apoio e amizade do meu amado irmão, Ricardo, com quem compartilhei e continuo a compartilhar as melhores jornadas dessa vida. Por fim, agradeço profundamente a minha amada companheira viking Ingunn Grip Fær por todo amor, carinho, paciência e apoio incondicional que me traz equilíbrio.

Agradeço a toda a equipe da Editora Gente pelo apoio no desenvolvimento desta obra e a todo o time Emagrecer De Vez pelo trabalho sério, por acreditar na nossa causa comum e por compartilhar dos mesmos valores éticos que eu. Time forte!

Por último, obrigado a você que lê este livro e ao mundo como um todo pela enorme generosidade em me ensinar diariamente como ser uma pessoa melhor, ao passo que atura meu jeito errático, impaciente e, muitas vezes, rebelde de ser.

Sumário

INTRODUÇÃO

O que você acha de começarmos este livro com a apresentação de uma nova e revolucionária dieta que tem como objetivo derrubar o próprio conceito de "dieta"? E se essa dieta for a mais simples e eficaz já criada e não depender de contagem de calorias, exercícios, suplementos nem de extratos de plantas exóticas?

Essa é a "dieta da pergunta poderosa", e o que a define, como você pode imaginar, é apenas uma pergunta. Tudo consiste simplesmente em você se fazer uma pergunta a cada vez que estiver prestes a ingerir qualquer comida:

ISTO QUE ESTOU PRESTES A INGERIR É UM ALIMENTO DE VERDADE OU UMA SUBSTÂNCIA COMESTÍVEL?

Pronto! Essa é a dieta que poderá mudar sua vida, sua saúde, seu bem-estar e sua forma física, assumindo-se, claro, que você tenha a resposta correta para ela na maior parte do tempo.

Isso me faz lembrar uma brincadeira que fiz na abertura do primeiro evento ao vivo da Tribo Forte em São Paulo, quando recebi todos com a seguinte frase: "Olá, sejam bem-vindos. Comam comida de verdade. Tenham um bom dia, tchau".

O evento, claro, seguiu por dois dias incríveis de palestras. No entanto, a brincadeira tinha um fundo de verdade. Talvez a maior tragédia para a nossa saúde como espécie, a mesma que nos tornou a única espécie no planeta Terra a viver cronicamente doente, tenha sido nosso distanciamento crescente dos alimentos saborosos e nutritivos que

estamos evolutivamente programados a consumir, e a nossa aproxima-
ção de opções ultrarrefinadas, inflamatórias e extremamente pobres em
nutrientes. Afinal, a cada vez que você ingere um alimento, você está alimentando sua saúde ou está alimentando uma doença. A escolha sempre é sua, a cada garfada.

No entanto, apesar de essa ideia ser simples, a solução infelizmente não é, e, para que possamos retornar ao caminho correto, precisamos
virar de ponta-cabeça muitos dos hábitos e das crenças que fomos forçados a aceitar como verdade.

Desde 2008 tenho devotado minha vida ao estudo do confuso e
fascinante (nem sempre por bons motivos) mundo da nutrição, tendo
viajado por todo o planeta em busca de conhecimento, participado das
maiores conferências do ramo e tentado quase de tudo em mim mesmo
na esperança de descobrir, no meio de tanta contradição, o que de fato faz
sentido e dá resultados.

Meu grande objetivo foi sempre encontrar a valiosa receita mini-
malista para uma vida em forma, saudável e cheia de vitalidade, que nos
permita viver cada um de nossos dias sendo o melhor que podemos ser,
tendo liberdade alimentar e quebrando as amarras que nos privam e limitam, ou seja, desvendar os poucos hábitos que são responsáveis pelas
maiores mudanças.

O que você está prestes a conhecer é resultado de tudo isso, e, para
essa receita, o único ingrediente é uma mente aberta.

Com isso, fico feliz que você esteja aqui e o convido a seguir comigo, a partir de agora, nesta curta e emocionante jornada na qual lhe
apresentarei um novo, transformador e libertador estilo de vida chamado
de "Alimentação Forte".

Neste trajeto, você tem direito a uma seleção especial de materiais
extras que irão ajudá-lo. Convido você a já acessá-los no endereço ele-
trônico <http://estenaoemaisumlivrodedieta.com.br/brindes/>.

Vamos em frente!

1.

MONTANHA-
-RUSSA
EMOCIONAL

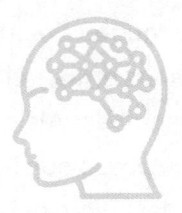

"Em terra de cegos, quem tem um olho é rei."
Erasmo de Roterdã

Há algum tempo perguntei em meu Instagram (@rodrigopolesso) quais os maiores obstáculos que as pessoas enfrentam ao tentar manter um estilo de vida saudável no dia a dia, e uma das respostas que recebi foi:

> Rodrigo, o maior obstáculo para mim é ouvir os comentários das pessoas do trabalho e da família em todas as minhas refeições, quando pratico esse estilo de vida saboroso e saudável que me faz tão bem, quando escolho churrasco em vez de massas, legumes na manteiga em vez de arroz, ovos e bacon em vez de granola e iogurte light, e quando não como a cada três horas [...]. Me sinto um E.T. no meio da galera.

Eu respondi: "Que bom! Em um mundo cada vez mais pesado e doente, ser diferente me parece uma ótima ideia".

Se o que foi dito o deixa com algumas dúvidas, fique tranquilo, porque tudo está prestes a mudar. Vamos ver juntos o que você precisa para revolucionar seu entendimento sobre alimentação e começar a implantar um estilo alimentar sensacional pelo resto da vida.

Minha própria situação mudou drasticamente nos últimos anos. Ao olhar fotos minhas de onze anos atrás, vejo claramente meu rosto redondo e minha pele cheia de espinhas. Além disso, meu estado emocional estava indo ladeira abaixo, ao passo que lidava frequentemente com baixa autoestima, depressão e desânimo geral.

Meu momento de mudança veio em uma manhã em que estava vestindo a calça e prestes a apertar o cinto quando olhei para o espelho e vi uma pessoa que não mais era compatível com a imagem que eu tinha de mim mesmo. Era uma pessoa obviamente acima do peso, deprimida, com a barriga inchada, seguindo a rotina como uma espécie de zumbi.

Na época, eu era do tipo que, literalmente, brigava se a sobremesa não estivesse doce o suficiente, que ia no buffet por quilo e competia com os amigos para ver quem comia mais (meu recorde foi 1,1 quilo de comida no almoço), então, não, eu não era uma pessoa que pensava muito em hábitos saudáveis ou moderados. No entanto, depois daquela manhã, resolvi mudar minha vida e me tornei um tanto obcecado por aprender mais sobre nutrição e emagrecimento, à medida que ia lendo artigos científicos e seguindo profissionais da área, brasileiros e estrangeiros.

Com minha formação científica e cérebro treinado na área de exatas, minha mente estava extremamente apta a pensar racionalmente e achar furos lógicos com facilidade quando comecei a ficar boquiaberto com as inconsistências e fraquezas abismais que estava achando no corpo de evidências científicas que encontrava na área da nutrição. Mal podia acreditar que a maior parte das recomendações gerais de saúde divulgadas por aí simplesmente estavam erradas e, pior, as evidências muitas vezes mostravam que o correto seria o polo oposto daquilo que vinha sendo recomendado para a população. Eu fiquei chocado!

Em meio a tudo isso, me mudei do Brasil em 2010, e continuei minhas pesquisas enquanto morava nos Estados Unidos, na Alemanha, na Noruega e agora no Canadá. Desde então, tenho ficado em contato mais próximo com os melhores profissionais do mundo no ramo e também tenho participado das mais importantes conferências da área.

O resultado foi que, ao aplicar tudo que aprendi, eu consegui emagrecer o que precisava, reverter meu quadro de depressão e atingir a melhor forma da minha vida, mantendo-a já há anos a fio, sem sacrifícios, usufruindo um estilo de vida realmente motivador e prazeroso.

Estudar nutrição e me aperfeiçoar nisso se tornou minha nova paixão, a ponto também de ter me levado a fazer uma certificação de curto prazo em nutrição otimizada para saúde e bem-estar na Universidade Estadual de San Diego, Califórnia.

Hoje, o portal EmagrecerDeVez.com, meus programas on-line de emagrecimento, este livro, o projeto Tribo Forte e seu grande evento ao vivo anual são frutos disso tudo e do meu objetivo de disseminar a boa informação nutricional. Conto com sua ajuda daqui em diante para espalhar esse conhecimento!

Agora, segure-se na cadeira, respire fundo comigo e vamos dar uma boa olhada onde estamos hoje em termos de boa forma e saúde, tudo bem?

A Organização Mundial da Saúde aponta a obesidade como um dos maiores problemas de saúde no mundo, com projeções de que, em 2025, se tudo continuar da mesma forma, o mundo terá 2,5 bilhões de adultos e mais de 700 milhões de crianças com sobrepeso.

A Organização de Cooperação Econômica e Desenvolvimento (OECD), que agrupa 35 países-membros, publicou em 2017 uma atualização[1] sobre a obesidade no mundo e traz dados chocantes: mais da metade dos adultos e quase 1 em cada 6 crianças estão acima do peso ou obesas nos países-membros.

No Brasil, segundo estatísticas[2] da Associação Brasileira para o Estudo da Obesidade e da Síndrome Metabólica (Abeso), alguns levantamentos já mostram que mais de 50% dos adultos estão na faixa de sobrepeso e obesidade, e que 15% das crianças já estariam também na mesma situação.

---

1. Documento "OECD Obesity Update 2017". Disponível em: <www.oecd.org/els/health-systems/Obesity-Update-2017.pdf>. Acesso em: 27 jun. 2018.

2. Disponível em: <www.abeso.org.br/atitude-saudavel/mapa-obesidade>. Acesso em: 29 jan. 2018.

De acordo com a mais recente pesquisa[3] feita pelo Ministério da Saúde e pela Agência Nacional de Saúde Suplementar (ANS), apesar de a quantidade de pessoas com excesso de peso ter passado de 46,5% em 2008 para 53,7% em 2016, os dados mostram que, paradoxalmente, a proporção de inatividade física caiu de 19,2% para 14,2%, ou seja, as pessoas estão se exercitando mais.

Além disso, o consumo de frutas e hortaliças aumentou de 27% para 30,5%, ou seja, as pessoas parecem estar mais conscientes em relação à saúde no geral, mas ainda assim o número de obesos aumentou 41,6% relativamente em apenas oito anos. O que está acontecendo?

Será que precisamos reduzir mais as calorias? Comer mais frutas e verduras? Fazer ainda mais exercício em meio à nossa rotina já caótica e tão ocupada? Será que precisamos de novas dietas revolucionárias?

Bem, se você é como eu e como milhões de outras pessoas, já deve ter tentado ao menos algumas dietas ao longo da vida, não é verdade?

Aliás, veja que incrível: em uma pesquisa on-line sobre emagrecimento que conduzi em 2017 com 2.837 pessoas e que obteve repercussão na mídia pela revista *Saúde*,[4] entre outras, mostrou-se que quase metade das pessoas entrevistadas (43%) já fez no mínimo oito tentativas de emagrecimento. Chocante!

Ninguém merece viver uma vida pulando de dieta em dieta! O que está errado?

Deixe eu lhe contar alguns fatos interessantes sobre dietas em geral e sua eficácia.

Primeiro, entenda que, apesar de existirem milhares de dietas ao redor do mundo, a grande maioria delas é elaborada com uma (falsa) ideia em mente: a de que você precisa focar em consumir menos calorias

3. FISCHBERG, Josy. Obesidade e sobrepeso são problemas crescentes no país. *O Globo*. 13 de janeiro de 2018. Disponível em: <http://oglobo.globo.com/sociedade/saude/obesidade-sobrepeso-sao-problemas-crescentes-no-pais-22284517>. Acesso em: 29 jan. 2018.

4. VIEIRA, Vand. Por que emagrecer de vez é tão difícil? *Saúde*. 12 de abril de 2018. Disponível em: <http://saude.abril.com.br/alimentacao/por-que-emagrecer-de-vez-e-tao-dificil>. Acesso em: 23 maio 2018.

e queimar mais de alguma forma. Em outras palavras: comer menos e se exercitar mais.

Enquanto isso parece fazer sentido, a amarga verdade é que, como veremos a seguir, essa estratégia comprovadamente não funciona.

Em um grande ensaio clínico randomizado publicado em 2006, com alto nível de evidência científica, na conceituada revista de medicina *JAMA*,[5] foram estudadas, ao longo de nove anos, 48.835 mulheres, dividi-das em dois grupos: um grupo-controle, que não foi instruído especifica-mente a fazer nenhuma modificação, e um grupo de intervenção, que recebeu ativamente informações sobre como comer menos gorduras, comer mais frutas e legumes, grãos integrais e outros hábitos "tradicionais".

O interessante é o seguinte:

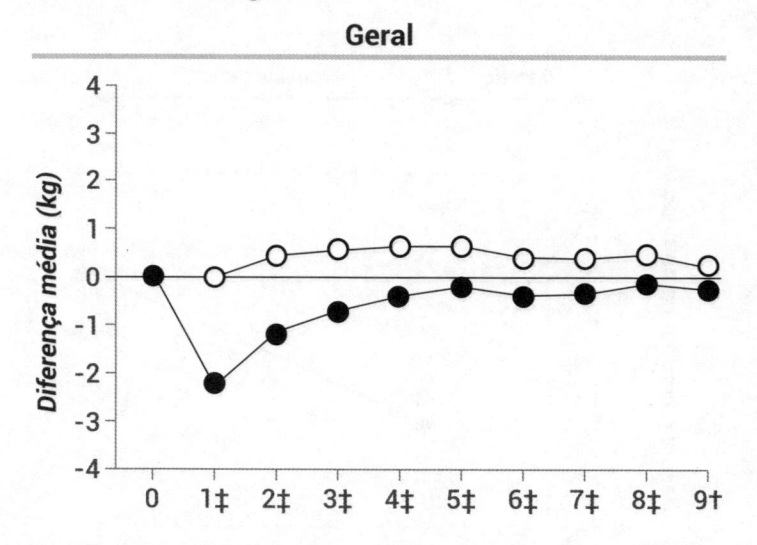

Geral

Ao final do acompanhamento viu-se que, apesar de o grupo da dieta ter consumido em média 361 calorias a menos por dia e se exercitado mais ao longo desse período, a diferença de peso entre o grupo que não fez nada e o grupo que "sofreu" ao longo de nove anos com dieta foi de menos de 1 quilo. Em outras palavras, comer menos calorias, menos

---

5. HOWARD; B. V., et al. Low-fat dietary pattern and weight change over 7 years: The Women's Health Initiative Dietary Modification Trial. *Journal of American Medical Association*, v. 295, pp. 39-494, 2006.

gorduras, mais grãos integrais, verduras, legumes, frutas e se exercitar mais durante nove anos a fio resultou em virtualmente nenhum benefício em se tratando de peso.

Outro estudo[6] feito com participantes da série de TV americana *The Biggest Loser*, na qual pessoas obesas perdem peso comendo menos e se exercitando intensamente, mostrou que, depois de seis anos do programa, elas ganharam novamente em média 41 quilos e ainda estavam com o metabolismo mais lento do que o esperado para uma pessoa de mesmo peso.

"E as dietas *low carb*, paleolítica, cetogênica, mediterrânea etc., que não focam necessariamente em contagem de calorias e exercícios? Essas, sim, funcionam, não é?", você pode questionar.

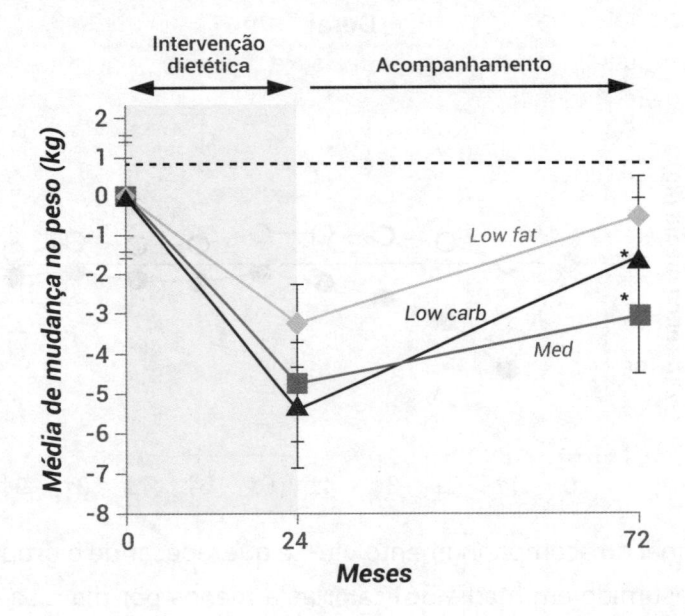

Bem, apesar de eu defender muitas das ideias por trás dessas dietas, o conceito de dieta em si e sua eficácia a longo prazo é questionável, independentemente das variações de cada uma, como mostra por

6. Persistent metabolic adaptation 6 years after *The Biggest Loser* competition. Disponível em: <www.ncbi.nlm.nih.gov/pubmed/27136388>. Acesso em: 26 jun. 2018.

exemplo o estudo DIRECT,[7] que acompanhou três grupos de pessoas que fizeram ou uma dieta *low carb*, ou uma mediterrânea, ou uma *low fat* durante dois anos completos e depois analisou novamente a situação do pessoal passados seis anos.

A conclusão foi que, apesar das grandes diferenças entre as dietas em si, o emagrecimento não foi muito diferente, e as pessoas tenderam a ganhar novamente boa parte do peso perdido.

Para finalizar, um estudo[8] publicado em 2017 e conduzido pela Universidade da Califórnia, Los Angeles, analisou justamente isso que estamos falando aqui, a eficácia das dietas a longo prazo, ao analisar o resultado de catorze outros estudos que testaram intervenções dietéticas variadas e o peso ao longo do tempo, concluindo que: "Os benefícios das dietas são simplesmente muito pequenos e os danos potenciais de se fazer uma dieta são muito grandes para que elas sejam recomendadas como um tratamento seguro e eficaz para a obesidade".

Com isso, espero que você concorde que não precisamos de mais dietas, por mais criativas que elas sejam, e que elas definitivamente não são a solução para um emagrecimento permanente.

Meu objetivo com tudo isso é desconstruir muitos dos mitos e crenças que limitam muita gente, dando a você maior liberdade alimentar para que nunca mais precise seguir uma dieta e possa, sim, construir um estilo de vida verdadeiramente saudável para a vida toda.

Sabe aquele momento em que pela primeira vez na sua vida você se olha no espelho, sobe na balança, ou veste suas roupas de costume, e nota que estão desconfortavelmente mais apertadas e pensa: "Nossa, eu não era assim, eu estou acima do peso! Eu preciso fazer algo a respeito disso!"?

7. SCHWARZFUCHS, Dan; GOLAN, Rachel; SHAI, Iris. Four-year follow-up after two-year dietary interventions *The New England Journal of Medicine*, v. 367, n. 14, pp. 1373-4, 2012. Disponível em: <www.nejm.org/doi/full/10.1056/NEJMc1204792>. Acesso em 27 jun. 2018.

8. Medicare's search for effective obesity treatments. Diets are not the answer. Disponível em: <http://janetto.bol.ucla.edu/index_files/Mannetal2007AP.pdf>. Acesso em: 27 jun. 2018.

Esse é um momento que muda a vida de muita gente, mas infelizmente não para melhor. Nessa hora, algo crucial acontece: muita gente cria uma conexão forte entre seu estado emocional e seu estado físico, ou seja, começa a viver uma montanha-russa emocional, em que a qualidade do seu humor será proporcional à sua satisfação com o que vê no espelho.

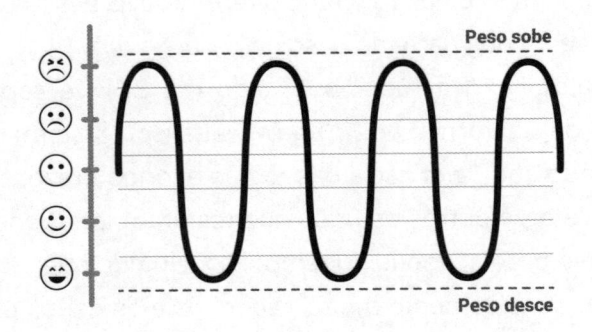

Sabe como é, você ganha peso e se sente para baixo, você perde peso e se sente para cima. Suas roupas dão uma "alargada" e você abre um sorriso, já aquele vestido antigo passa a não caber mais e você cai em depressão, e para piorar você começa a criar uma relação negativa e tormentosa com sua alimentação.

O simples hábito de se alimentar passa a ficar carregado de ansiedade, culpa e uma relação de amor e ódio que começa a custar a você em todos sentidos. Você começa a viver sempre pensando em seu peso e em busca de uma solução para o problema. Você começa a depositar sua confiança em "novas descobertas" de termogênicos, em alimentos milagrosos queimadores de gordura, em dietas revolucionárias ou em métodos de emagrecimento das celebridades.

Há uma certeza: você vai precisar se alimentar e provavelmente vai se ver no espelho rotineiramente ao longo da sua existência. Então, se a cada vez que colocar algo na boca você ficar pensando no seu peso, e se a cada vez que se olhar no espelho de manhã você se julgar, eu lhe pergunto: Que tipo de vida é essa?

O problema só piora a cada tentativa falha de se conseguirem resultados duradouros, drenando sua força de vontade, e aqui tem algo crucial a se entender: a cada tentativa errada de emagrecimento que você faz, de uma forma ou de outra você agride seu metabolismo, fazendo com que ele se torne mais e mais resiliente e resistente às suas novas tentativas posteriores, ou seja, quanto mais você tenta emagrecer de forma errada, mais difícil será emagrecer nas tentativas futuras. Isso é um verdadeiro pesadelo, e o pior é que a maioria das pessoas não tem a menor ideia de que está tentando emagrecer de forma errada!

Eu mesmo, quando estava tentando emagrecer cortando gorduras e sal na dieta, exercitando-me bastante diariamente e comendo a cada três horas, achava que estava fazendo o certo e o melhor para mim mesmo, até descobrir que estava agredindo meu metabolismo e depois ver que meu peso tinha voltado rapidamente ao desistir daquela rotina sofrida.

Em minha opinião, o problema não é que simplesmente falte força de vontade ou comprometimento das pessoas de serem mais saudáveis e manterem-se em forma. O problema é que a informação ao alcance dessas pessoas é ruim e perigosa.

Além disso, como você logo verá, acredito que as pessoas não estão mais doentes e acima do peso porque estão mais sedentárias e famintas, mas sim o direto oposto disso: estão mais sedentárias e famintas porque estão doentes e acima do peso.

É hora de democratizarmos o acesso à melhor informação disponível hoje no mundo sobre emagrecimento, saúde e bem-estar, de forma que toda a força de vontade e a boa intenção das pessoas que buscam viver saudáveis e na melhor forma de suas vidas possam ser, de fato, bem utilizadas.

Agora é hora de conquistarmos uma verdadeira liberdade alimentar e levarmos isso ao alcance de todos os que querem viver uma vida sadia, energética, positiva e em forma; liberdade alimentar que só será possível com a destruição do conceito de dietas e a construção de um estilo de vida com base em hábitos comprovados, e que restabeleça uma relação positiva entre você e sua alimentação. Um estilo alimentar que seja flexível, dinâmico, saboroso e que o faça se sentir melhor todos os dias. Uma forma de viver que basicamente o imunize contra o ganho de peso, turbine sua performance cognitiva e física, e lhe possibilite verdadeiramente viver cada dia da sua vida sendo a absoluta melhor versão de si mesmo.

Eu tenho o privilégio de receber diariamente depoimentos de pessoas que conquistaram pela primeira vez o que achavam que era impossível: a melhor forma e saúde de sua vida. Testemunhos como o da minha própria mãe, querida e amada, que me disse que, hoje, com 63 anos, subiu na balança e está pesando 1 quilo a menos do que quando se casou, aos 24 anos (sem contar a energia contagiante com que vive cada um de seus dias e a vitalidade invejável).

Meu amado pai, que sempre tendeu a ganhar peso facilmente, eliminou 24 quilos para sempre com esse estilo de vida e hoje também está com o mesmo peso de quando casou, e ainda meu irmão, que hoje está na melhor forma de sua vida depois de eliminar 15 quilos e turbinar sua composição corporal. Isso tudo me emociona!

Vejo casos de sucesso de todos os tipos, pessoas novas e idosas, homens e mulheres, casos de reversão de quadros graves de problemas de saúde de longa data, pessoas que eliminaram desde 5 a 101 quilos ou mais, e pessoas que, além de realizarem mudanças físicas e de saúde, acabaram por abrir novas portas no ramo profissional e de relacionamento como consequência.

Todo mundo tem o direito de viver uma vida saudável, em forma e de bem consigo mesmo. Tudo isso só é possível com a queda do conceito de dieta, dos mitos nutricionais e com as boas-vindas de braços abertos à construção de um novo estilo de vida sensacional.

Vamos juntos?

2.
LIBERTE-SE — QUEBRANDO OS MAIORES MITOS DA NUTRIÇÃO

"A VERDADE EXISTE. SÓ A MENTIRA É INVENTADA."
GEORGES BRAQUE

Já cortamos as calorias, as gorduras e o colesterol. Já nos exercitamos, comemos grãos integrais, fizemos refeições de três em três horas, mas o que ainda não fizemos foi achar felicidade, saúde, peso ideal, paz mental e resultados permanentes com tudo isso. Já chega! Emagrecimento é simples quando feito da forma certa e colabora para nosso bem-estar, não para mais sofrimento e frustração.

Estamos vivendo em uma prisão alimentar entulhada de "regras" e diretrizes nutricionais que nos confundem, restringem, limitam e frustram, forçando-nos a nos privar do que gostamos e a fazer o que não queremos. E tudo isso para quê?

Dados estatísticos de consumo publicados pelos governos mostram que nós como população temos seguido corretamente as diretrizes alimentares vigentes nas últimas décadas, fazendo os esforços necessários para nos adaptarmos, e o que ganhamos em retorno? Níveis recordes de doenças cardíacas, diabetes, câncer, obesidade e síndrome metabólica no geral. Essa é uma catástrofe em escala global.

Você deve concordar comigo que não precisamos ser gênios para deduzir que o que temos feito até agora simplesmente não está funcionando e, pior, está nos levando para mais perto de um futuro calamitoso.

Eu voto em liberdade alimentar, e você?

Está na hora de voltarmos a viver uma vida mais leve e de fazer-mos as pazes com os hábitos alimentares que sempre nos ajudaram, mas que fomos forçados a esquecer. Vamos já começar utilizando da força das evidências científicas disponíveis para quebrar alguns dos maiores mitos da nutrição que podem estar bloqueando o caminho entre você e seus objetivos de bem-estar.

Aliás, se algumas das informações a seguir lhe deixarem de boca aberta, relaxe, pois também fiquei de queixo caído na primeira vez em que as vi e me perguntei: "Como é possível que erramos tão, mas tão feio assim?". Pois acredite: é verdade. Tudo ficará mais claro à medida que avançarmos neste livro.

1º mito — Gorduras engordam e fazem mal

Vamos começar direto com esse, que é talvez o maior de todos os mitos nutricionais vigentes. Há várias décadas nós temos sido induzidos a cortar o consumo de gorduras da alimentação, principalmente a tão "temida" gordura saturada, por acreditarmos que elas são danosas à saúde e nos fazem engordar.

Com isso, as gorduras naturais como manteiga, banha, óleo de coco, azeite, gordura animal das carnes etc., as quais temos utilizado por milhares de anos sem medo até as gerações de nossos avós, começaram a ser demonizadas e a cair em desuso, ao passo que as gorduras industriais e pró-inflamatórias, como os óleos vegetais e margarinas, foram recomendadas em seu lugar.

A redução no consumo de gorduras naturais, o aumento no consumo de carboidratos refinados e grãos pobres em nutrientes, junto ao aumento do consumo dos óleos vegetais, talvez tenha sido a pior catástrofe nutricional da história da humanidade.

Mas e se tudo isso tivesse sido fruto de mera incompetência profissional e científica, e de manobras em defesa de interesses políticos e econômicos diversos de algumas pessoas influentes? E se tudo isso tivesse sido o maior (e mais equivocado) experimento já conduzido em escala global em seres humanos?

Veremos mais sobre isso, mas, em termos de gorduras naturais, entenda que elas nunca foram causa da obesidade e de problemas cardíacos como nos foi e ainda é erroneamente dito. Isso é um mero fato científico incontestável publicado na literatura para todos verem.

Aliás, isso está tão errado que, ao retomarmos o consumo delas e reduzirmos o consumo do que nos foi sugerido (grãos, refinados e óleos vegetais), nós conseguimos voltar à boa forma e melhorar basicamente todos os marcadores de saúde. Isso é fato!

Caso tenha interesse, convido você a investigar as referências citadas ao longo deste livro para aprofundar seu conhecimento, já que vou tentar ser o mais sucinto e direto possível nas páginas que se seguem.

Acerca das gorduras, vamos quebrar esse mito de duas formas:

- Primeiro, mostrando que o inverso do que é sugerido, ou seja, o aumento do consumo de gorduras boas e a redução de carboidratos, é a melhor estratégia existente para emagrecimento e reversão de várias doenças metabólicas;
- Depois, mostrando que o consumo de gorduras saturadas não é e nunca foi a causa de problemas cardíacos, como nós sempre fomos levados a acreditar.

Nunca na história existiram evidências científicas sólidas[9] que justificassem a criação das diretrizes alimentares oficiais dos governos, que passaram a recomendar a toda a população um alto consumo de carboidrato e um baixo consumo de gordura.

Por outro lado, existe um enorme e crescente corpo de evidência mostrando que, para emagrecimento e melhora da saúde geral, uma dieta oposta a essa seria a mais adequada, ou seja, menos carboidrato pobre e mais gordura boa. Aliás, todos os últimos 29 ensaios clínicos

---

9. HARCOMBE, Zoe. An examination of the randomised controlled trial and epidemiological evidence for the introduction of dietary fat recommendations in 1977 and 1983: A systematic review and meta-analysis. Tese de doutorado. 2016.

randomizados[10] publicados que compararam as duas estratégias mostram esse resultado conclusivamente.

Outras revisões publicadas chegaram a conclusões similares mostrando que um maior consumo de gordura e menor de carboidrato está associado a menos mortes e menores riscos cardiovasculares, ao contrário do que nos dizem.

Considere os dados a seguir:

Tendências seculares de gordura na dieta

Relação inversa com a prevalência de obesidade

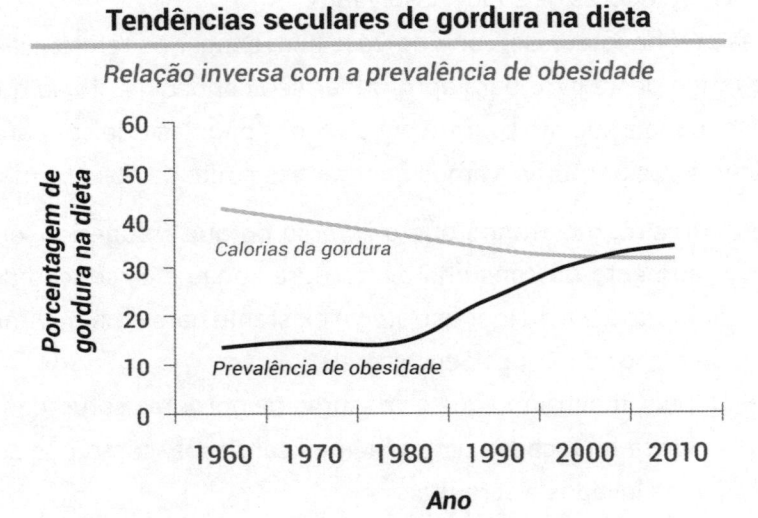

Esse gráfico apresentado em uma palestra[11] conduzida pelo respeitado médico dr. David Ludwig, de Harvard, mostra que o consumo de gordura caiu de forma continuada a partir da década de 1960, quando o medo começou a ser criado na população, ao passo que, "coincidentemente", a obesidade ao mesmo tempo passou a crescer com rapidez.

Por décadas, profissionais e governos têm se utilizado de fracos estudos epidemiológicos para sustentar a falsa ideia de que gorduras precisam ser limitadas. No entanto, acredite, até mesmo essas

---

10. Randomised controlled trials comparing low-carb diets of less than 130g carbohydrate per day to low-fat diets of less than 35% fat of total calorie. Disponível em: <https://phcuk.org/rcts/>. Acesso em: 28 jun. 2018.

11. Disponível em: <https://youtu.be/Zpi5Lir_eJs>. Acesso em: 28 jun. 2018.

evidências já foram colocadas abaixo quando o maior estudo epidemio-lógico[12] já feito na história nesse sentido concluiu que "o consumo de carboidratos foi associado a um maior risco de mortalidade enquanto as gorduras foram associadas a menor mortalidade total".

As evidências científicas, hoje, são incontestáveis, mas, ainda que elas nem existissem, precisamos ter em mente que a realidade sempre fala mais alto, não é?

A realidade é que a população tem, sim, reduzido o consumo de gorduras ao longo das décadas e a realidade também é que ainda assim (ou talvez por isso) estamos atingindo números históricos de obesidade e doenças metabólicas. Além disso, a realidade também é que, quando passamos a fazer o oposto disso, ou seja, a reduzir corretamente o consumo de carboidratos pobres e aumentar o de gorduras naturais, nós perdemos peso e ficamos saudáveis — note que isso não significa que você necessariamente precise comer pouco carboidrato. Veremos mais sobre isso ao longo do livro.

Mas e as gorduras saturadas? Essas, sim, fazem mal, certo?

Muitas pessoas tremem só de ouvir as palavras "gordura saturada", tamanho é o medo que foi criado e ainda vinga na mente da maioria da população e também, tristemente, de muitos profissionais de saúde. E se tudo isso for por nada?

A pergunta é: existem evidências científicas sólidas para sustentar esse medo?

Não, pelo contrário. As evidências mostram claramente que o consumo de menos gorduras saturadas e de mais óleos vegetais não diminui os riscos de morte e problemas coronários,[13] que gorduras saturadas nem mesmo estão associadas ao aumento de risco cardíaco,[14] e que até mesmo quem cos-

12. PURE Study. Disponível em: <www.ncbi.nlm.nih.gov/pubmed/28943267>. Acesso em: 28 jun. 2018.

13. Estudos disponíveis em: <www.bmj.com/content/353/bmj.i1246> e <www.ncbi.nlm.nih.gov/pubmed/24723079>. Acesso em: 28 jun. 2018.

14. Estudos disponíveis em: <www.bmj.com/content/351/bmj.h3978> e <https://academic.oup.com/ajcn/article/91/3/535/4597110>. Acesso em: 28 jun. 2018.

tumava demonizar o consumo delas já aceita que elas são mesmo inofensivas.[15] Além disso, o maior estudo epidemiológico já publicado sobre isso, com mais de 135 mil pessoas analisadas, concluiu que "gorduras saturadas foram associadas inversamente com infartos", ou seja, quanto mais gorduras saturadas, menos infartos e vice-versa. Que quebra de paradigma!

O fato é que não existem evidências que suportem a ideia de se reduzir o consumo de gordura saturada na esperança de termos melhor saúde cardíaca e menor risco de morte, mas sim do contrário! Aliás, caso queira entender um pouco mais sobre os "estudos" que a mídia costuma usar para continuar demonizando as gorduras, veja o capítulo extra deste livro, chamado "Ciência de araque", disponível em <http://estenaoemaisumlivrodedieta.com.br/brindes/>.

Agora, vamos esquecer a ciência em si e fazer uma rápida análise evolutiva dessa questão, como faremos mais vezes ao longo deste livro. A pergunta é: faria pelo menos sentido evolutivo que a gordura saturada fizesse mal?

Todo alimento que possui gordura de qualquer tipo contém ao mesmo tempo os três tipos de gordura, ou seja, poli-insaturada, monoinsaturada e saturada. Isso quer dizer que a saturada é abundante na natureza. Catorze por cento do venerado azeite de oliva, por exemplo, são gorduras saturadas — a mesma quantidade presente no bacon. Aliás, elas também são abundantes dentro do nosso corpo, tendo em vista que 60% do nosso cérebro é formado de gorduras, e dentre elas as saturadas. Ainda, a metade da gordura presente no leite materno é saturada. Será que a mãe natureza estaria nos sacaneando colocando um "veneno" tanto no nosso cérebro quanto no alimento mais nutritivo de um recém-nascido?

Gordura saturada é comum, sempre fez parte da nossa alimentação ao longo da evolução da espécie, e a dura verdade é que ela foi demonizada sem absolutamente nenhum embasamento científico crível. Então, por que ainda nos sugerem sua remoção da dieta?

---

15. A big fat debate. Disponível em: <www.huffingtonpost.com/kristin-wartman/a-big-fat-debate_b_831332.html>. Acesso em: 16 fev. 2018.

Como dizem, o verdadeiro cego é aquele que não quer ver. Em minha opinião, continuam a disseminar esse mito por pura inércia, incompetência e medo, afinal, é mais fácil deixar tudo rolando do jeito que está do que dar a cara a tapa e assumir que diretrizes erradas foram disseminadas por décadas, colocando em risco a vida de milhões de pessoas.

Espero que essas informações possam lhe trazer paz mental e liberdade alimentar.

Quero também que fique claro que, até o presente momento, não existe (e nunca existiu) na literatura científica nenhuma evidência de qualidade (que não seja de estudos epidemiológicos fracos) que aponte que gorduras naturais (incluindo as saturadas) causem aumento de risco de problemas cardíacos ou morte, mas sim existem inúmeras que apontam o contrário.

Nas palavras da pesquisadora Nina Teicholz, que revisou[16] toda a evidência disponível sobre gordura saturada: "Não há associação entre gorduras saturadas e doenças cardíacas. Ainda, [...] o baixo consumo de gorduras saturadas está associado a maior mortalidade e a risco de infarto".

Gorduras naturais sempre fizeram parte da dieta humana, nunca causaram problemas e foi somente quando nos forçamos a diminuir seu consumo que nos colocamos no meio da maior crise de obesidade e doenças metabólicas que a humanidade já viu.

Está na hora de voltarmos a saborear os alimentos naturalmente ricos em gorduras e a tirar vantagem da saciedade e do bem-estar que eles nos proporcionam.

2º mito — Colesterol faz mal

Esse é outro grande mito que tomou o senso comum e está devastando a saúde de muitos. Para quebrá-lo de uma vez por todas, vamos começar com uma análise evolutiva simples para ganharmos lucidez e vermos se faz ao menos sentido acreditar que colesterol faz mal.

16. The disputed science on saturated fats.. Disponível em: <www.nutritioncoalition.us/saturated-fats-do-they-cause-heart-disease/>. Acesso em: 1 jun. 2018.

Assim como as gorduras, o colesterol é um composto que está presente em abundância na natureza, nos alimentos e também no nosso corpo.

Muitos dos alimentos mais nutritivos da face da Terra contêm colesterol, como ovos, peixes, frutos do mar, carnes de todos os tipos, queijos etc., alimentos esses que sempre fizeram parte da dieta natural humana. Além disso, o colesterol forma em grande parte a membrana de todos os trilhões de células do nosso corpo. Nosso cérebro é formado substancialmente por colesterol, e todos nossos neurônios têm insulamento de colesterol (mielinas). O colesterol é necessário para a síntese de vários hormônios importantes e também dos ácidos biliares, e além do mais sabemos que ele é essencial para a síntese de vitamina D e, como o famoso neurologista americano dr. David Perlmutter diz,[17] "25% do colesterol do corpo está no cérebro".

O colesterol é absolutamente necessário para a vida humana, e sem ele seríamos apenas uma sopa orgânica no chão.

Considere ainda o interessante estudo[18] publicado em 2008, que analisou os níveis de colesterol e habilidades cognitivas em 185 idosos saudáveis com mais de 85 anos e concluiu que, "ao contrário das nossas expectativas, colesterol total alto e alto LDL foram associados ao melhor funcionamento da memória [e performance cognitiva]". Claro, o cérebro é formado de colesterol, assim como os neurônios...

Outro fato chocante já documentado[19] é que metade dos pacientes internados com problemas cardíacos tem colesterol, considerado abso-

17. your brain needs cholesterol. Disponível em: <www.drperlmutter.com/brain-needs-cholesterol/>. Acesso em: 16 fev. 2018.

18. Better memory functioning associated with higher total and low-density lipoprotein cholesterol levels in very elderly subjects without the apolipoprotein e4 allele. Disponível em: <www.ncbi.nlm.nih.gov/pubmed/18757771>. Acesso em: 28 jun. 2018.

19. Lipid levels in patients hospitalized with coronary artery disease: an analysis of 136,905 hospitalizations in get with the guidelines. Disponível em: <www.ncbi.nlm.nih.gov/pubmed/19081406>. Acesso em: 28 jun. 2018.

lutamente normal ou baixo. Até mesmo em idosos faltam evidências de associação entre colesterol e mortes.[20]

Será que com isso tudo em mente continua fazendo sentido acreditar que o consumo de colesterol entupirá nossas artérias e aumentará o risco de morte?

Toda essa onda de medo sobre o colesterol começou a surgir várias décadas atrás devido principalmente ao trabalho do influente fisiologista americano Ancel Keys.

Depois de conduzir algumas análises observacionais, massagear os dados e selecionar somente o que lhe fosse conveniente, Keys publicou alguns estudos que acabaram por ser usados para sustentar a hipótese de que uma dieta rica em colesterol faria mal para a saúde cardíaca.

Talvez o estudo mais famoso tenha sido o "The 7 Country Study", ou "O estudo dos 7 países", que mostrou uma associação positiva entre o consumo de gordura saturada e o número de problemas cardíacos. O consumo de gordura saturada tipicamente eleva o colesterol (mas isso não é necessariamente algo ruim).

No entanto, em vez de somente sete países estudados, o estudo em si foi feito em 22 países, mas Ancel resolveu convenientemente desconsiderar os lugares onde essa associação não existia. Toda essa história fascinante está contada em detalhes no brilhante livro *Por que engordamos e o que fazer para evitar?*, de Gary Taubes.

Ancel foi vítima de pensamento simplista, e milhões de pessoas ainda sofrem por isso. Ele analisou as artérias de pessoas que morreram por causa de eventos cardíacos e viu que havia placas de colesterol bloqueando o fluxo sanguíneo. Ao ver esse colesterol nas artérias, ele automaticamente assumiu que o consumo de colesterol na dieta seria a causa do problema. Simplista!

---

20. Lack of association between cholesterol and coronary heart disease mortality and morbidity and all-cause mortality in persons older than 70 years. Disponível em: <www.ncbi.nlm.nih.gov/pubmed/7772105>. Acesso em: 28 jun. 2018.

É como assumir que ficaríamos verdes ao comer alface ou vermelhos ao devorar um tomate.

Sabemos há um bom tempo que o consumo de colesterol na dieta não tem nada a ver com os níveis do componente no sangue, uma vez que a maior parte do colesterol no corpo é fabricada pelo próprio corpo em si, tão importante que ele é.

No entanto, como Ancel Keys era muito influente e incisivo, ele defendeu sua hipótese (e reputação) com unhas e dentes, o que resultou no mundo todo concordando, mudando hábitos e diretrizes de acordo, tudo com base nessa hipótese não comprovada (e errada).

Veja ainda a ironia: não demorou tanto tempo assim para o próprio Ancel Keys perceber que algo estava errado quando, em 1954, ele disse:[21] "A evidência — tanto experimental quanto de pesquisa de campo — indica que o colesterol contido em dietas naturais não tem efeito significativo nos níveis de colesterol no sangue nem no desenvolvimento de aterosclerose [formação de placas] em humanos". No entanto, essa retratação veio tarde demais porque o estrago já estava feito.

O colesterol é essencial para a vida, e o colesterol ingerido através de alimentos naturais não impacta nos níveis dele no sangue, já que eles são um marcador precário e basicamente inútil fora de contexto para análise de riscos cardíacos (lembrando que metade das hospitalizações por eventos cardíacos foi de pessoas com colesterol considerado baixo). Além disso, colesterol baixo está associado a problemas cognitivos, entre outros. Hoje sabemos ainda que um baixo HDL (colesterol "bom") é um marcador de risco cardíaco bem mais forte que um mero LDL alto (colesterol "ruim").

Enfim, até os americanos finalmente retiraram de suas últimas diretrizes alimentares oficiais o limite sugerido de colesterol que sempre esteve lá. Entretanto, não anunciaram isso a ninguém. Felizmente, o *Guia alimentar para a população brasileira* de 2017 não menciona colesterol.

---

21. KEYS, A.; ANDERSON, J. T. The relationship of the diet to the development of atherosclerosis in man. National Research Council DoMS. Symposium on atherosclerosis. Washington, 1954. pp. 181-96.

Hoje sabemos, à luz do corpo de evidências disponíveis, que o que mais contribui de fato para o "entupimento" das artérias é a inflamação crônica no organismo causada em grande parte pelo consumo excessivo de óleos vegetais, açúcares no geral e carboidratos refinados (como açúcares, farináceos etc.).

Esse mito do colesterol ainda está tatuado na cabeça da população e provavelmente ainda levará anos para se esvair naturalmente. No entanto, com essas informações, espero que você possa já ganhar maior liberdade alimentar e voltar a fazer justiça a alguns dos alimentos mais nutritivos e saborosos do mundo.

3º mito — Sal faz mal

Aqui está mais um exemplo de falta de evidências concretas para se recomendar a toda a população que diminua o consumo de sal. Será que estamos nos forçando a comer uma comida mais insossa completamente em vão e, pior ainda, potencialmente aumentando os riscos à nossa saúde?

Sal (sódio) não é apenas um condimento que usamos para realçar o sabor dos alimentos, é um mineral essencial para manter o equilíbrio eletrolítico e o bom funcionamento do corpo.

Além do mais, cada pessoa tem seu paladar ajustado para o consumo do sal. Alguns preferem mais e outros menos, e por toda a história da humanidade sempre contamos com esses sinais do nosso corpo para ingerirmos a quantidade correta de sal.

No entanto, mesmo com esses mecanismos perfeitos, alguns cientistas mais uma vez decidiram que nosso corpo não sabe de nada e que nós todos precisamos é limitar o consumo desse mineral. Com base em quê?

Esse é mais um exemplo de estudos mal conduzidos e interpretações piores ainda, que levaram a uma hipótese simplista de que o consumo de sal aumenta a pressão arterial e os riscos de problemas cardíacos. Essa hipótese nunca comprovada cientificamente acabou virando a norma, e hoje todos nós ouvimos que menos sal é sempre melhor.

Por que não paramos para testar essa hipótese antes de disseminá--la em larga escala para as massas, não é verdade? Aliás, ela já foi testada! Considere esse bom estudo,[22] publicado em 2012 no jornal *Nephrology*, que analisou um grupo de 23 voluntários com pressão sanguínea normal e que passaram aleatoriamente por três intervenções diferentes: uma baixa em sal, uma média e uma alta. No final das várias semanas desse estudo, concluiu-se que "não houve nenhuma mudança na pressão sanguínea sistólica ou diastólica entre as intervenções. Ocorreu um aumento apropriado na excreção de sódio na urina nas intervenções com adição desse mineral".

Ou seja, nosso corpo realmente parece saber o que faz. Quando o consumo de sal é excessivo, ele não aumenta a pressão sanguínea à toa e simplesmente descarta o excesso na urina. Perfeito.

Estudos[23] e análises cautelosas[24] mostram que um consumo espontâneo e saudável de sódio está na faixa de 3 gramas a 6 gramas por dia, e que existe um aumento dos riscos de problemas com consumo tanto mais baixo quanto mais alto do que isso.[25]

Então, é de nos perguntarmos por que o Ministério da Saúde recomenda[26] que nosso consumo não ultrapasse 1,7 grama de sódio por dia (equivalente a 5 gramas de sal), tendo em vista que menos de 3 gramas por dia está associado a maiores riscos.

---

22. Dietary sodium loading in normotensive healthy volunteers does not increase arterial vascular reactivity or blood pressure. Disponível em: <http://onlinelibrary.wiley.com/doi/10.1111/j.1440-1797.2011.01550.x/abstract>. Acesso em: 28 jun. 2018.

23. Urinary sodium and potassium excretion, mortality, and cardiovascular events. Disponível em: <www.nejm.org/doi/full/10.1056/NEJMoa1311889>. Acesso em: 28 jun. 2018.

24. Compared with usual sodium intake, low - and excessive - sodium diets are associated with increased mortality: a meta-analysis. Disponível em: </www.ncbi.nlm.nih.gov/pubmed/24651634>. Acesso em: 28 jun. 2018.

25. Study reopens rift over merits of low-sodium-for-all public-health policies. Disponível em: <www.medscape.com/viewarticle/863921?nlid=105606_2982&src=wnl_dne_160531_mscpedit&uac=41512MY&impID=1112845&faf=1>. Acesso em: 28 jun. 2018.

26. Redução de sódio, açúcar e gordura trans. Disponível em: <http://dab.saude.gov.br/portaldab/ape_promocao_da_saude.php?conteudo=reducao>. Acesso em: 16 fev. 2018.

2

Além disso, já sabemos que é muito difícil consumir sal de forma exagerada, simplesmente porque não apetece o paladar. Você se lembra da última vez em que estava comendo algo salgado demais e não conseguiu terminar? Pois é.

Agora, um dado importante que precisamos manter em mente é que, enquanto com a Alimentação Forte, estilo de vida alimentar que estou prestes a lhe apresentar, seja bastante improvável e difícil de haver um consumo excessivo de sal, o mesmo não acontece em uma dieta baseada em "substâncias comestíveis", como fast-food, batata chips, fritura etc.

Quando o sal é adicionado e disfarçado no meio de produtos industrializados, com outros temperos e até açúcares, nós "enganamos" nosso paladar, e dessa forma podemos consumir o condimento em excesso sem perceber.

Por exemplo, veja que batatas chips geralmente possuem sal e açúcar ao mesmo tempo nos ingredientes, assim como hambúrguer de fast-food, refrigerante etc., mesmo que não notemos o sabor salgado. Isso porque a indústria sabe que a combinação perfeita de açúcar e sal estimula ainda mais a fome e o prazer alimentar.

Logo, a meu ver, a única forma fácil de consumirmos sódio em excesso de fato é ao nos intoxicarmos rotineiramente com esses alimentos. No entanto, se esse for o caso, nossos problemas são maiores do que o sal em si.

Ainda sobre as recomendações dos governos e de muitos profissionais de saúde por aí, uma nova análise[27] publicada em 2017, que analisou os dados do Framingham Offspring Study, concluiu que "estes dados a longo prazo do Framingham Study não oferecem nenhum suporte à ideia de se reduzir o consumo de sódio em adultos saudáveis para menos de 2,3 gramas por dia, como é recomendado".

Em suma, quando comemos sal à vontade de acordo com nosso paladar, como sempre fizemos por milhares de anos, tendemos a consumir

---

27. Low sodium intakes are not associated with lower blood pressure levels among framingham offspring study adults. Disponível em: <www.fasebj.org/doi/abs/10.1096/fasebj.31.1_supplement.446.6>. Acesso em: 28 jun. 2018.

a quantidade certa para nosso corpo, sendo que se forçar a comer menos do que isso (como recomendado) ou muito mais do que, isso está associado ao aumento de riscos. Sim, as evidências mostram que, se você reduzir seu consumo de sal para a quantidade sugerida nas diretrizes alimentares, você aumentará seus riscos cardíacos!

Ou seja, não existem e nunca existiram evidências que suportem as recomendações vigentes para ingerirmos pouco sal. Essas recomendações foram criadas e disseminadas sem base científica credível e, pior, com fortes evidências do contrário. Logo, nós podemos ter paz mental na próxima vez em que estivermos salgando o churrasco, assumindo que seguimos uma alimentação saudável focada em alimentos de verdade, como a Alimentação Forte, sobre a qual você está prestes a aprender.

Se você tem interesse em se aprofundar nesse assunto, recomendo a leitura do livro *The Salt Fix* [A correção do sal], de James DiNicolantonio.

4º mito — Comer de três em três horas acelera o metabolismo

O mito de se comer de três em três horas é tão forte que, se andarmos pelas ruas perguntando a pessoas comuns qual a ideia que elas têm de uma alimentação saudável, com certeza iremos ouvi-lo muitas vezes. E se tudo isso não passar de mais um mito, mais uma balela?

Comer de três em três horas em uma rotina normal resultaria em seis refeições ao dia, o que é justamente o dobro de refeições que fazíamos naturalmente há poucas décadas, conforme você pode ver no gráfico a seguir.[28]

Tanto adultos quanto crianças costumavam fazer naturalmente apenas três refeições ao dia na década de 1970. Perceba que a curva começou a mudar bastante na década de 1990, quando mais pessoas passaram a fazer de quatro a cinco refeições, e depois nos anos de 2007 e

---

28. POPKIN, B. M.; DUFFEY, K. J. Does hunger and satiety drive eating anymore? Increasing eating occasions and decreasing time between eating occasions in the United States. *The American Journal of Clinical Nutrition*, v. 91, n. 5, pp. 1342-47, 2010.

2008, quando a maioria das pessoas começou a fazer de cinco a sete refeições por dia! Ou seja, quase dobramos a quantidade de refeições ao dia em questão de quatro décadas.

Frenquência diária de refeições entre crianças entre 1-18 anos e adultos acima dos 19 anos nos EUA

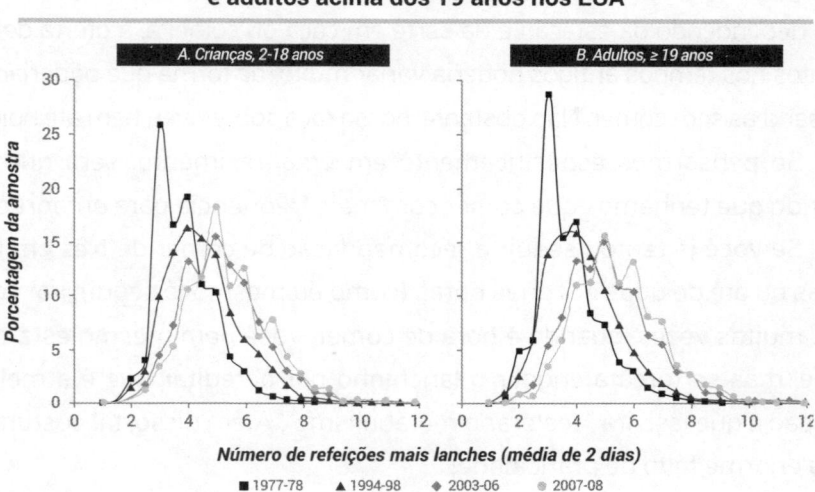

Comer tantas vezes ao dia é um hábito novo para nós, e isso é fruto de dois fatos cruciais:

- Primeiro, de recomendações infundadas de profissionais à população, com a falsa crença de que isso traz algum benefício real. As evidências dizem o contrário;

- Segundo, da queda expressiva da densidade nutricional dos alimentos consumidos, à medida que a população começou a se distanciar mais e mais dos alimentos de verdade tradicionais, naturais e nutritivos, e passou a se aproximar das substâncias comestíveis.

Quando há uma queda de nutrientes na dieta, combinada ao desequilíbrio hormonal e metabólico que isso causa, começamos a comer mais, com maior regularidade e ainda a nos saciar menos, tendo fome com mais frequência. Nós só conseguimos comer com tanta frequência se nossas refeições principais forem pobres em nutrientes.

Além do mais, será que faria sentido evolutivo nós, seres humanos, termos que parar para fazer seis refeições ou mais ao dia para sermos saudáveis e mantermos a boa forma? Você consegue imaginar o tamanho da luxúria que seria você comer a cada três horas há 20 mil anos, por exemplo? Eu só consigo imaginar reis, faraós e a realeza fazendo isso. A antropologia nos diz que, dependendo da estação e da sorte em caça ou colheita, a oferta de alimentos nos tempos antigos poderia variar muito, de forma que poderíamos passar dias sem comer. Não obstante, nossa raça sobreviveu bem até hoje.

Se pensarmos especificamente em emagrecimento, será que faz sentido que tenhamos que comer com mais frequência para emagrecer?

Se você já tentou seguir a recomendação de comer de três em três horas ou até de duas em duas horas (como eu mesmo já segui), vai notar que, muitas vezes, quando é hora de comer, você nem mesmo está com fome, mas se força a engolir o lanchinho por acreditar que é a melhor decisão e que isso irá "acelerar o metabolismo". Além disso, tal costume é uma enorme falta de praticidade!

Nós viramos escravos de um hábito artificial (e errado) na esperança de que ele esteja nos ajudando quando obviamente não está, afinal, os números de obesidade e doenças metabólicas só crescem ano a ano.

Vamos voltar ao básico e nos perguntar se não faz sentido comermos quando temos fome e não comermos quando não temos fome. Esse sempre foi o hábito ao longo de milênios, ou seja, viver nossos dias seguindo os mecanismos mais básicos do nosso corpo: fome, sede e saciedade.

ESTOU COM FOME? COMO.
ESTOU COM SEDE? BEBO.
NÃO ESTOU COM FOME? NÃO COMO.
NÃO ESTOU COM SEDE? NÃO BEBO.

Assim faz todo animal que perambula neste planeta!

Meu foco aqui neste livro é lhe dar mais liberdade alimentar, afinal, está na hora de vivermos com menos regras e diretrizes e de nos reconectarmos ao nosso corpo. Isso é estilo de vida, isso é paz mental!

Considere uma revisão[29] publicada em 1997 no *British Journal of Nutrition* de toda evidência observacional sobre essa questão da frequência das refeições. As conclusões são bem claras:

> Uma revisão detalhada dos possíveis mecanismos para explicar uma vantagem metabólica de se comer mais frequentemente [por exemplo, de três em três horas] falhou em revelar qualquer benefício significativo a respeito de gasto calórico. [...] Não existe evidência alguma de que a perda de peso em dietas de baixa caloria seja alterada por causa da frequência das refeições.

Ou seja, comer mais vezes ao dia é inútil.

Outras revisões[30] e estudos[31] ecoam a mesma mensagem, mostrando que não há vantagem alguma em se comer com mais frequência, podendo ainda ser uma desvantagem (o que acredito piamente).

Outra informação divulgada por aí é que você precisa comer mais vezes ao dia para que seu metabolismo não "desacelere". Esse é outro absurdo comprovadamente falso.

Como veremos na parte em que falamos de jejum intermitente, estudos mostram que até em jejuns bem longos o nosso metabolismo se mantém ou até acelera na ausência de comida, exatamente o oposto do que nos é dito.

A natureza é esperta. Ao ficarmos sem comer, nosso corpo nos dá um "turbo" metabólico e hormonal (adrenalina e hormônio do crescimento) para que tenhamos mais chances de coletar o alimento de que

---

29. Meal frequency and energy balance. Disponível em: <www.ncbi.nlm.nih.gov/pubmed/9155494>. Acesso em: 28 jun. 2018.

30. Revisões disponíveis em: <www.ncbi.nlm.nih.gov/pubmed/19566598> e <https://www.ncbi.nlm.nih.gov/pubmed/24268866>. Acesso em: 28 jun. 2018.

31. Increased meal frequency attenuates fat-free mass losses and some markers of health status with a portion-controlled weight loss diet. Disponível em: <www.ncbi.nlm.nih.gov/pubmed/25862614>. Acesso em: 28 jun. 2018.

precisamos, e isso já foi documentado.[32] No entanto, é exatamente o oposto do que é divulgado.

Além de todos esses pontos importantes que vimos, existe outro crucial mecanismo do corpo que será impactado negativamente caso caiamos na armadilha de comer tantas vezes no dia como nos é recomendado por aí. Esse mecanismo é a autofagia.

A autofagia é um mecanismo importante de autorreciclagem do corpo que acontece principalmente na ausência de comida, ou seja, nos momentos de jejum, quando as organelas imperfeitas do corpo são otimizadas. Esse processo está associado a maior longevidade, imunidade e qualidade de vida no geral.

Como esse processo é estimulado principalmente durante o sono e nas horas de jejum, ao comermos a cada três horas tenderemos a limitar esse fenômeno e também seus benefícios.

Em suma, mais uma vez, não existem e nunca existiram evidências para se sugerir a toda a população que coma de três em três horas. Estudos apontam que, além disso não trazer benefício algum, potencialmente irá trazer malefícios.

Ao longo deste livro você vai entender como esse hábito pode ser ainda mais desastroso à saúde e ao emagrecimento, principalmente quando falarmos da fisiologia do ganho de peso.

O segredo aqui é fazer com que suas refeições principais sejam tão nutritivas, saborosas e saciantes que você nem mesmo irá querer pensar em comida por horas a fio. Isso é Alimentação Forte, é comer bem, e isso é o que você aprenderá a fazer.

5º mito — Proteína sobrecarrega os rins

Bem, a essa altura você já deve imaginar que esse é mais um mito sem base científica e você estaria correto, mas antes de tudo precisamos entender

---

32. Resting energy expenditure in short-term starvation is increased as a result of an increase in serum norepinephrine. Disponível em: <.www.ncbi.nlm.nih.gov/pubmed/10837292>. Acesso em: 28 jun. 2018.

que um estilo alimentar correto e nutritivo como o da Alimentação Forte não é "alto" em proteína.

Aliás, até mesmo as dietas *low carb* e cetogênica, que chamam erroneamente por aí de "dietas da proteína", não estão nem perto de serem realmente altas no consumo desse macronutriente. É muito difícil ter uma dieta realmente alta em proteína!

Em incontáveis estudos que comparam os mais diferentes tipos de dieta vemos que, independentemente dessas diferenças, o consumo de proteína tende a se manter constante em todas elas (por volta de 17% a 21% das calorias em média).

Em outras palavras, seja em uma dieta de baixa gordura, baixo carboidrato, baixíssimo carboidrato, paleolítica ou qualquer outra, as pessoas tendem a simplesmente ingerir uma quantidade semelhante de proteína. Ainda veremos mais sobre proteína, mas já tenha em mente que ela é extremamente saciante e é muito difícil que exageremos em seu consumo, mesmo que nos forçássemos a isso.

Já o mesmo não acontece, claro, com *brownie*, brigadeiro, pão, massas, batata frita e outras substâncias comestíveis que esculhambam seu sistema hormonal e sensores de fome e saciedade. Eles são fáceis de comer até o extremo limite.

Agora, será que comer mais proteína seria tão ruim como falam? Para nossa sorte, isso já foi testado[33] várias vezes cientificamente e a resposta é um definitivo "não".

Por exemplo, considere esse ensaio clínico randomizado[34] publicado em 2010 que acompanhou 100 homens e mulheres com mais de 30 anos por um ano, à medida que seguiam dois planos alimentares isocalóricos, ou seja, de mesma quantidade calórica.

---

33. Diferentes testes científicos disponíveis em: <www.ncbi.nlm.nih.gov/pmc/articles/PMC1262767/?tool=pubmed>, <www.ncbi.nlm.nih.gov/pubmed/10578207> e <www.ncbi.nlm.nih.gov/pubmed/12716753>. Acesso em: 28 jun. 2018.

34. Protein-enriched meal replacements do not adversely affect liver, kidney or bone density: an outpatient randomized controlled trial. Disponível em: <www.ncbi.nlm.nih.gov/pmc/articles/PMC3023677/?tool=pubmed>. Acesso em: 28 jun. 2018.

Um dos grupos iria ingerir o equivalente a 1,1 grama de proteína por quilo de massa magra de peso, enquanto o segundo grupo iria ingerir o dobro disso, 2,2 gramas de proteínas por quilo de massa magra.

No final do ano eles concluíram que "esses estudos demonstram que refeições enriquecidas com proteínas, comparadas com refeições tradicionais, [...] não possuem efeito adverso na função renal, do fígado ou em densidade óssea".

"E o ácido úrico?", muitos podem perguntar.

Bem, evidências científicas[35] mostram que uma alimentação generosa em proteína, mais baixa em carboidrato e mais rica em gordura, ao contrário do que pensam, colabora até para a redução dos níveis de ácido úrico no sangue.

Em suma, é extremamente difícil "exagerar" no consumo de proteína seguindo qualquer dieta que seja. No entanto, mesmo se isso acontecesse, estudos mostram que até o "excesso" dela não seria de nenhuma forma deletério a um rim e outros órgãos saudáveis. Proteína de qualidade constrói a vida, não a destrói.

Por mais que muitos ainda continuem esperneando, tentando manter suas posições e opiniões, é difícil sustentar a ideia de que uma alimentação menos nutritiva, cheia de regras erradas e baseada em refinados, processados e industrializados, seja de qualquer forma mais saudável do que uma Alimentação Forte rica em nutrientes, livre de regras e baseada em alimentos de verdade.

Embora existam muitos outros mitos nutricionais por aí, acredito que a desconstrução desses que vimos já deva ter lhe inspirado a ser mais cético a respeito do que você escuta sobre saúde e alimentação. Hoje, com acesso tão fácil e livre à informação, podemos todos investigar as mesmas evidências que estão disponíveis aos profissionais. Logo, se algo não tem embasamento ou é comprovadamente falso, não se torna verdadeiro só porque quem diz tem um diploma ou outro.

---

35. High-protein diet (Atkins diet) and uric acid response. Disponível em: <http://acrabstracts.org/abstract/high-protein-diet-atkins-diet-and-uric-acid-response/>. Acesso em: 28 jun. 2018.

Imagine poder comer sem medo (e sem contar calorias) alimentos saborosos, nutritivos, ricos em gorduras naturais, salgados a gosto e usufruindo de uma verdadeira liberdade alimentar suportada pela melhor ciência nutricional disponível no mundo.

Isso é estilo de vida! Isso é Alimentação Forte!

Carlos Henriques de Oliveira Crespo (40 quilos eliminados)

•••

CARLOS HENRIQUES CRESPO

-40kg

Julho de 2010 vai ficar marcado na memória do Carlos Crespo, o atencioso e grande contribuidor no fórum da Tribo Forte, por dois motivos que mudaram sua vida: a morte de sua querida mãe e o início de uma trajetória de erros e excessos, que o fizeram chegar à casa dos 140,1 quilos, quatro anos depois.

Cada vez mais sem saúde, disposição e até mesmo energia para brincar com os filhos, enveredou por dietas tradicionais, perdeu peso, mas recuperou tudo num período de meio ano. Apesar das restrições alimentares, ele estava se sacrificando e não mudando de vida; sem maiores esclarecimentos, sem nenhuma filosofia a seguir. Mas, como ele próprio comenta, conhecer a Tribo Forte e o programa Código Emagrecer De Vez mudou a maneira de ver a si mesmo e seu dia a dia.

Carioca de Curicica, bairro da zona oeste do Rio de Janeiro, em dezembro de 2016, aos 47 anos, resolveu dar um basta e entrar de cabeça no que chama de "processo de reciclagem pessoal"; entrava em cena o novo Carlos, mais saudável, atento e feliz. Mas não pensem que tudo foram flores. "O começo foi extremamente difícil, e deixar de lado os velhos hábitos parecia impossível, coisa de maluco", revela.

Perseverante, estudava e absorvia cada estudo, *podcast*, documentário, dicas e referências disponibilizadas aos assinantes da Tribo e do Código Emagrecer De Vez. E observou que finalmente estava preparado.

Hoje, Crespo enaltece sempre que pode a abordagem da Alimentação Forte baseada em ciência. Deixou para trás uma forte síndrome metabólica que o elevou a categoria de pré-diabetes, 40 quilos, 37 centímetros de circunferência abdominal e conquistou melhora sem precedentes em sua condição de transtorno de déficit de atenção e hiperatividade (TDAH), mal neurobiológico que atinge várias partes do cérebro, causando falta de atenção, desinteresse, inquietude e impulsividade.

Carlos, um de nossos membros mais ativos e queridos, diz:

> Hoje sei olhar para uma coisa que me causava transtorno e me deixava doente e resisto a ela. Reaprendi o que é viver... Sei o que é comer de verdade e só tenho a agradecer a esse incrível sistema criado por Rodrigo Polesso e essa comunidade que agrega tanta gente de qualidade em busca de um objetivo comum. Estou e sou liberto de antigos vícios.

3.
SUA MENTALIDADE EM SAÚDE E BOA FORMA

> **"SE VOCÊ MUDA A FORMA COMO OLHA AS COISAS,**
> **AS COISAS QUE VOCÊ OLHA MUDAM."**
> **WAYNE DYER**

Começamos este livro com a desconstrução de grandes mitos e agora estamos prestes a começar a construção de um estilo alimentar libertador e verdadeiramente saudável. No entanto, precisamos ficar cientes de que tudo isso será completamente em vão se sua mente não estiver 100% alinhada com seus objetivos. Nesse sentido, vamos ver algumas reflexões e "truques" que podem ajudá-lo. No final, ao aplicar os conhecimentos deste livro com a mentalidade correta, nada servirá de obstáculo entre você e a mudança que quer para si mesmo.

Talvez você concorde comigo que mudar hábitos alimentares e de estilo de vida pode ser difícil em alguns aspectos, mas nada se compara ao desafio de mudar hábitos mentais, não é verdade?

Antes de começar a estudar ciência nutricional há cerca de nove anos, eu vivia em uma contínua batalha interna com minha mente e passei uns bons anos em uma espécie de frustração e depressão constantes, afinal, estava descontente com minha situação e realmente não conseguia ver uma saída clara, nem sequer tinha um objetivo definido para me guiar.

Hoje sei que a falta de um propósito é uma das maiores causas de depressão. Além disso, quanto mais tempo vivemos em determinado estado mental, mais tendemos a nos acomodar nele. Nós começamos a ficar confortáveis com a negatividade e ficamos cada vez mais resistentes a estados contrários, como a positividade.

De certa forma, até paradoxalmente, à medida que descemos mais e mais nesse poço, parece que a negatividade fica mais sedutora, e essa é uma das grandes armadilhas da mente.

Enquanto as pessoas têm os mais diversos motivos para se sentirem assim, em um contínuo descontentamento com o corpo e a saúde ou com a situação profissional, relacionamentos etc., o que muitos parecem ter em comum é uma dificuldade imensa de se ver fora desse quadro de vitimização e frustração constantes.

A grande questão é que sua mente pode ser sua maior e mais poderosa aliada, o ajudando a vencer obstáculos até virtualmente impossíveis de se conceber, mas também pode ser sua maior arqui-inimiga, levando você para um caminho sombrio, sem perspectiva e que o distancia cada vez mais de uma vida positiva e feliz.

Se você tem pensamento positivo ou negativo, para sua mente, em qualquer um dos casos, você está certo.

Sabemos ainda que o que sua mente comanda, seu corpo responde. Não é por nada que existe a expressão "mind over body" em inglês, ou seja, "o poder da mente domina o corpo", apesar de que certos movimentos do seu corpo também podem induzir mudanças na mente, como acredita e difunde o guru americano de autodesenvolvimento Tony Robbins.

O quadro mental que você tem ao iniciar qualquer mudança, assim como a implantação do estilo de vida da Alimentação Forte, em grande parte determinará suas chances de sucesso ou fracasso.

Se você começa algo com desconfiança, falsas expectativas e sem o entendimento necessário para assumir confiantemente a responsabilidade por seus atos, você estará nadando em mares turbulentos e lutando contra objeções da sua mente que invariavelmente surgirão.

No entanto, quando seu estado mental está alinhado, comprometido e positivo, por mais obstáculos e desafios que apareçam, você tenderá a contorná-los da melhor forma possível e a manter o foco em seu objetivo.

Uma mente alinhada ao conhecimento correto aumenta drasticamente suas chances de sucesso, e é por essa e outras razões que, desde que comecei a falar sobre emagrecimento e saúde, tenho também falado sobre mentalidade e motivação.

Então, neste ponto você tem duas opções: ter sua mente como aliada ou como arqui-inimiga. A boa notícia é que quem decide isso é você!

Importância da decisão

Toda mudança intencional começa com uma decisão de mudar, enquanto a maior parte das pessoas tende a evitar decisões e a viver na inércia, em que tudo acontece a esmo, torcendo para que tenham a "sorte" de chegarem aonde querem chegar. Essa é uma forma arriscada de se viver, não é verdade?

Afinal, o simples fato de tomar uma decisão é algo que exige muito de nós, muita energia, clareza e determinação. Decisões são poderosas, mas também são intimidadoras, e é por isso que muitos de nós preferem evitá-las.

Nós podemos achar que ao evitar o que nos intimida, seguindo a famosa lei do mínimo esforço, teremos uma vida mais fácil, mas isso é como estarmos em um bote sem remos, indo rio abaixo em direção à queda d'água, e acharmos que chegaremos ao parque aquático da Disney. É fantasia!

Todo benefício colhido tende a ser proporcional ao esforço envolvido. A máxima "fazer por merecer" existe porque faz sentido.

Entretanto, as decisões não são iguais.

Uma decisão poderosa e que engatilha grandes mudanças é algo que demanda muita energia e força de propósito, e tudo começa ao identificar "o seu porquê".

Tudo é possível desde que a motivação seja grande o suficiente, ou seja, tudo é possível desde que "seu porquê" seja grande o suficiente. Logo, um dos truques mais poderosos para você aumentar dramaticamente as chances de atingir seu objetivo e de se munir de energia suficiente para tomar uma decisão poderosa é ter clareza cristalina sobre ele.

Por que você quer emagrecer, atingir seu peso ideal, mantê-lo e viver cada um dos seus dias saudável e se sentindo incrível consigo mesmo? O que isso significaria para você nas suas próprias palavras? Significaria uma vida de maior sucesso profissional, talvez? Ou quem sabe significaria uma vida mais ativa junto a seus filhos, construindo memórias incríveis que eles levarão para sempre? Significaria a concretização do seu grande sonho? O que conquistar uma vida em forma e saudável significa de verdade para você? Qual é o seu porquê? Por que está lendo este livro?

Quando você tiver absoluta clareza de qual é o seu porquê, de forma que o simples pensar nele possa trazer lágrimas de emoção a seus olhos, você estará pronto para tomar a verdadeira decisão que mudará o curso da sua vida.

Sua saúde como prioridade

Independentemente dos seus objetivos específicos e por mais que seja difícil, leve tempo e exija esforços colossais da sua parte, você precisa também tomar a decisão de ser uma pessoa que prioriza saúde, boa forma e vitalidade, simplesmente porque você merece ser a melhor versão de si próprio.

Da mesma maneira que é seu direito viver uma vida em forma e saudável, também é seu dever querer chegar lá e priorizar isso. Todos nós temos o direito e o dever de sermos o melhor absoluto que podemos ser. Afinal, qual é a alternativa? Sermos 50% do que podemos ser? Vivermos 70% do nosso potencial? Sermos 40% saudáveis e 60% em forma?

É provável que ter vivido anos em frustração com sua forma física e saúde não tenha sido sua culpa, tendo em vista toda a má informação divulgada por aí. No entanto, uma vez que você agora começa a ter as informações que podem ajudá-lo a reverter tudo isso, passa a ser sua responsabilidade tomar uma atitude para mudar.

Nós tendemos mesmo a nos lembrar da nossa saúde somente quando ela falha, não é verdade? É normal que isso aconteça, mesmo sabendo que basicamente toda a nossa vida depende dela!

A priorização da saúde acontece no dia a dia, até mesmo nos menores atos, como no hábito de não levar para casa produtos que você já sabe que não estão alinhados com seus objetivos. Sabe como é, não importa se aquele doce está fechado em uma gaveta, no estoque da garagem ou enterrado no quintal. Na hora que bater aquela frustração e fraqueza, você vai pegar a enxada e vai se sujar o quanto for necessário para comê-lo.

Você precisa se ajudar eliminando tentações e situações óbvias que drenam sua energia e testam sua força de vontade, até porque sabemos que força de vontade é algo limitado.

Cuide de seus estoques de força de vontade com carinho. Imagine que iniciamos cada manhã com um tanque cheio de força de vontade e chegamos à noite com ele vazio por causa de todas as minidecisões que precisamos tomar durante o dia. Você quer ver mais TV, mas precisa ir para o trabalho; chega no trabalho e vê seu amigo que levou pastel para todo mundo, você recusa; vai almoçar com a galera no rodízio de pizza, mas se força a comer só um pedaço; faz uma pausa à tarde e, em vez de tomar o refrigerante que quer, pede água com gás etc.

Cada uma dessas decisões ao longo do dia está drenando mais e mais seus estoques de força de vontade, que estará basicamente vazio quando você chegar em casa à noite. Com seu tanque de força de vontade vazio, seu poder de tomar boas decisões estará comprometido. Ou seja, em outras palavras, se tiver brigadeiro no jantar, você vai se empanturrar!

Nós, seres humanos, apesar de gostarmos de acreditar que somos racionais por completo, somos mais previsivelmente irracionais do que imaginamos, como foi documentado de forma brilhante por Dan Ariely, professor de psicologia comportamental na Duke University, no seu livro *Predictably irrational* [Previsivelmente irracional].

Em suma, não conte somente com sua força de vontade e comece a se ajudar como pode, mesmo tomando atitudes simples no dia a dia, evitando tentações óbvias e situações que irão drenar seus estoques de boa vontade.

O erro de comparar-se com os outros

Nós nos compararmos com as pessoas ao nosso redor é um hábito absolutamente natural e instintivo, mas que pode ser uma verdadeira armadilha em se tratando de saúde e emagrecimento.

Muita gente acaba desistindo de seus objetivos justamente por achar que seus resultados precisam necessariamente ser semelhantes àqueles das pessoas à sua volta, na TV, na internet ou onde quer que seja.

Seu progresso é seu, ponto-final.

Para se imunizar contra essa armadilha e aumentar exponencialmente suas chances de sucesso, compare seus resultados de hoje com aqueles de ontem e preste atenção na tendência deles ao longo do tempo.

Embora sejamos todos muito similares em vários aspectos, ainda somos diferentes em muitos sentidos, como na própria resposta do corpo a novos estímulos e hábitos.

No emagrecimento, por exemplo, vemos pessoas que perdem bastante peso rápido logo no começo, desacelerando a perda com o tempo e até estagnando depois sem motivo aparente, enquanto outros podem ver essa lentidão e estagnação mais no começo da jornada, vendo poucas mudanças, porém notam que os resultados, apesar de mais lentos, são constantes ao longo do tempo.

A maneira como dois seres humanos emagrecem 20 quilos pode ser completamente diferente, e isso é normal. Se você se decepciona com seus resultados no primeiro mês e desiste porque se compara com seu amigo, jamais terá a chance de ver que seu amigo logo depois pode ter estagnado e que você poderia tê-lo superado em resultados se tivesse continuado em frente.

Seus resultados são seus, e a única comparação que faz sentido é aquela que você faz consigo mesmo. Mantenha isso em mente. Você precisa decidir e aceitar que a sua caminhada é sua e de mais ninguém.

Aliás, nesse sentido precisamos estar cientes do que chamo de "jogo das aparências". Todo mundo (ou quase todo mundo) faz esforços para que sua aparência perante a sociedade seja impecável, para que todos tenham a impressão de que tudo está ótimo. Todo mundo aparenta estar vivendo um sucesso absoluto e não ter um único problema na vida, não é verdade? É a famosa "casca social", em que revelar traços da realidade ou deixar transparecer fraqueza e dificuldade, para muitos, é inaceitável, apesar de ser totalmente natural e humano.

Todos nós temos um ego, alguns maiores do que os outros, e esse ego fica machucado caso a impressão que outras pessoas tenham dele não seja a mesma que ele tem de si próprio. O problema é que, como sabemos, aparências não resolvem problemas.

Quantas vezes já não nos surpreendemos em nossos círculos sociais, ou até mesmo com pessoas famosas na TV, quando ouvimos notícias chocantes de quem parecia tão bem por fora? Ninguém sabe mais da sua situação do que você mesmo, e você nunca saberá tão bem a realidade de outras pessoas como elas mesmas.

Precisamos parar de nos iludir e nos frustrar por causa do aparente sucesso de outras pessoas ao nosso redor, seja no emagrecimento, seja em qualquer área, afinal, caso existam problemas (e muitas vezes existem), elas farão de tudo para que eles não transpareçam.

Então, enquanto manter aparências é algo que faz parte da psicologia humana, tenha clareza de que essa atitude não é nada mais do que isso mesmo: aparência. Logo, evite tomar decisões baseadas em impressões que você tenha da vida dos outros.

Sua jornada é sua, e seu progresso é seu. Compare seus resultados de hoje com os de ontem e mantenha um olho na tendência deles.

Siga seu caminho, pois ele é só seu.

Criando a imagem em seu cérebro

Outra estratégia poderosa que podemos usar para manter o foco e a direção rumo ao nosso objetivo é termos uma visão cristalina dele, porque, uma vez que tenhamos uma visão absolutamente clara e bem definida do nosso objetivo, poderemos sempre contar com ela para nos levantarmos em momentos de confusão e desânimo, os quais irão invariavelmente aparecer várias vezes ao longo do caminho.

É natural querermos acreditar que o percurso entre nossa decisão de mudar e o sucesso do nosso objetivo seja uma linha reta, mas sabemos que ele raramente é. Em vez disso, o caminho em direção ao sucesso é tortuoso, cheio de altos e baixos, e muitas vezes até mesmo de idas e vindas, passando por obstáculos que testam nosso comprometimento a todo momento, e é somente lá no final, que nos damos conta disso. Não existem atalhos; aliás, se eles realmente existissem, seriam chamados de caminhos mais fáceis, não de atalhos.

Outro item importante é ter em mente que saber o que esperar é essencial para uma caminhada mais tranquila, afinal, uma das maiores fontes de frustração são expectativas desajustadas.

Voltando ao conceito da visão cristalina do objetivo, isso pode servir como uma poderosa âncora emocional. Ao longo do caminho, quando você se desanimar, se frustrar e seu comprometimento for desafiado, você pode sempre se agarrar nela, no seu porquê, na sua visão cristalina do seu objetivo concretizado, para se levantar e seguir em frente. Porém, para que isso seja possível, ou seja, para que uma visão de aonde quer chegar tenha o poder de levantar você, ela precisa ter uma grande carga emocional atrelada.

Para isso, podemos fazer um exercício poderoso (e divertido) de imaginar em detalhes o que exatamente você quer para si mesmo. O segredo é imaginar que seu objetivo já está concretizado, neste exato momento, e botar sua mente para trabalhar, imaginando como seriam todos os aspectos da sua vida neste instante. Isso porque a melhor forma de você criar uma imagem de como será sua vida depois do objetivo concretizado não é tentar projetar um sonho no futuro, mas sim tentar pintá-lo como realidade agora.

Por exemplo, caso seu objetivo primário seja emagrecer e atingir a melhor forma física da sua vida, você precisa injetar carga emocional e ter absoluta certeza do que isso significa para você, de maneira que essa visão tenha força o suficiente para levantar você nos momentos difíceis e sempre lembrá-lo do porquê de ter tomado a decisão poderosa de mudar.

O exercício é o seguinte: imagine que você esteja recomeçando o dia de hoje e que já tenha exatamente o que quer. Por exemplo, se quer emagrecer, imagine que você esteja na melhor forma física da sua vida já ao acordar e abrir os olhos na cama.

O que você vê quando abre os olhos? Seu quarto? Como ele é? Você senta na cama, alonga os braços, levanta e vai ao banheiro, onde joga um pouco de água fresca no rosto para acordar. Quando você levanta a cabeça e olha no espelho, o que você vê? Como reage ao ver essa nova imagem de si mesmo? Observe os detalhes.

Como você se sente nesse corpo? Que roupa escolhe vestir? Como se prepara para sair na rua? Como é a reação das pessoas ao vê-lo? Como é seu dia de trabalho assim? As pessoas o elogiam? Pedem dicas? Como isso faz você se sentir? Como é quando sai para almoçar com o pessoal? Como é quando volta para casa? Como você dorme?

A ideia é que você faça todo o esforço que puder para imaginar que essa é sua realidade atual, de forma a injetar a maior carga emocional possível na sua visualização. Sorria, se emocione e faça o que for necessário. Como é exatamente viver um dia com seu objetivo absolutamente concretizado? Dê a si mesmo de presente alguns minutinhos agora para fechar os olhos e pintar esse filme na sua mente.

Quanto mais esse exercício fizer você sorrir ou se emocionar, mais poder ele terá. Quanto maior a carga emocional e a significância que tiver para você, mais você poderá contar com essa âncora depois para lhe resgatar quando for necessário.

Logo, para turbinar suas chances de atingir seus objetivos, tenha uma visão absolutamente clara e cristalina de onde quer chegar e conte com ela sempre que precisar. Essa visão é seu porquê, essa visão é o que prova para você mesmo que a jornada vale a pena. Isso vai ajudá-lo!

Descoberta de seu propósito

Como vimos antes, talvez muito do que tenha acontecido com você até o momento em relação a alimentação, dietas, peso etc. não tenha de forma alguma sido sua culpa, e isso é completamente compreensível, uma vez que estamos cercados de balelas e mensagens conflitantes sobre esses assuntos.

Muitos até então viveram como vítimas de hábitos e informações erradas, mas agora têm a grande oportunidade de estar, de fato, no controle da própria saúde e boa forma. Lembre-se, todo conhecimento do mundo é completamente inútil se não for transformado em ação. Não são ideias que mudam o mundo, são atitudes.

Porém, antes de fecharmos este capítulo motivacional, por que não uma palavrinha sobre propósito?

Nunca antes na história da humanidade foi tão fácil sobreviver e, independentemente do que possamos pensar, hoje vivemos em um mundo que é o mais confortável de todos os tempos para a grande maioria da população em se tratando de necessidades básicas, como alimentação e segurança, descritas pelo psicólogo americano Abraham Maslow ainda em 1943 na sua teoria da evolução humana. No entanto, apesar de vivermos em um mundo onde sobreviver é relativamente fácil e conveniente para a maioria, estamos em meio a uma crescente epidemia de depressão.

Segundos novos dados da Organização Mundial da Saúde em 2017,[36] a doença afeta 4,4% da população mundial. O Brasil segue com os maiores números de depressão da América Latina, com 5,8% da população, e com a maior prevalência de ansiedade do planeta, com 9,3%. No mundo, ainda segundo a Organização Mundial da Saúde, os números de depressão aumentaram quase 20% em apenas dez anos, de 2005 a 2015.

Isso é assustador e aparentemente paradoxal. Como podemos estar tão desanimados, ansiosos e deprimidos em um mundo tão conveniente e moderno?

Bem, ainda que ninguém tenha todas as respostas a essa pergunta, nós sabemos que, apesar de agora conseguirmos satisfazer nossas necessidades fisiológicas com relativa facilidade, acabamos criando outros desafios e problemas que tornam a satisfação das nossas necessidades psicológicas muito mais difícil.

No topo da pirâmide de Maslow de necessidades humanas temos a autorrealização e logo abaixo as necessidades de estima e reconhecimento, e, a meu ver, atingi-las hoje em dia é mais desafiador do que nunca.

---

36. Depressão cresce no mundo, segundo OMS; Brasil tem maior prevalência da América Latina. Disponível em: <https://g1.globo.com/bemestar/noticia/depressao-cresce-no-mundo-segundo oms-brasil-tem-maior-prevalencia-da-america-latina.ghtml>. Acesso em: 12 fev. 2018.

No entanto, ainda antes disso, acredito que estamos sofrendo outra crise que está corroendo nosso bem-estar, e essa é a crise de propósito.

Diferentemente do que acontecia no passado, quando o propósito de nossa vida poderia ser tão simples como a busca da pura sobrevivência diária, hoje nós elevamos nossas expectativas, complicamos nossa existência e perdemos vista do porquê de levantarmos todos os dias.

É muito triste ver pessoas jovens de extremo sucesso no ápice de suas carreiras perdendo todo o senso de propósito e indo ladeira abaixo tragicamente.

"Como pode uma pessoa que tem e conquistou absolutamente tudo estar deprimida e sofrendo psicologicamente?", podemos pensar. Uma vez no topo, elas parecem não ter um propósito maior pelo qual viver. Isso é tão triste quanto ver pessoas idosas que devotaram a vida inteiras ao trabalho e a grandes esforços só para chegarem finalmente ao que ansiosamente esperaram por tantos anos, a aposentadoria, e logo depois caírem em frustração e depressão.

Parte do problema é a falta de um claro propósito de vida que nos leve a seguir em frente com a certeza de que, sim, tudo vale a pena! Isso só será possível quando esse for um propósito maior que transcende sua vida diária e que se manterá válido independentemente de sua idade, estágio de vida, carreira e bens materiais. Esse é o propósito que cabe somente a cada um de nós achar a própria definição.

Eu particularmente gosto de pensar que nosso propósito é evoluir, sermos hoje um pouco melhores do que ontem e vermos que todos os sucessos e fracassos do caminho são parte dessa jornada de aprendizado e amadurecimento, afinal, qual seria a alternativa? Se não estamos crescendo, evoluindo e aprendendo, o que estamos fazendo?

No entanto, lembre-se: cada um tem sua própria visão da existência, e sua jornada é apenas sua. É crucial que essa jornada tenha sentido hoje, amanhã e sempre.

O propósito de vida de cada um varia como as folhas das árvores. No entanto, o mais importante é que ele exista.

4.

QUEBRA DO PARADIGMA QUANTITATIVO

"TODOS NÓS COMEMOS, E SERIA UM DESPERDÍCIO DE OPORTUNIDADE COMER MAL."
ANNA THOMAS

P ara começarmos este capítulo tão importante e potencialmente revelador para você, preciso confessar que há vários anos, no início dos meus estudos, eu passei alguns tortuosos meses sendo o melhor e mais meticuloso contador de calorias que você pode imaginar, contando cada refeição e lanche com precisão científica.

Hoje, sorrio quando me lembro desse tempo, mas na época lhe garanto que não era divertido. Você talvez tenha feito algo igual ou pode até estar fazendo isso no momento, e se esse for o caso você está prestes a ter seu mundo abalado com as falsas crenças que abordaremos a seguir neste capítulo.

Para você ter uma ideia, vários anos atrás minha rotina alimentar consistia basicamente em uma planilha de Excel onde listava exatamente minhas seis refeições do dia, uma a cada três horas: café da manhã, lanche da manhã, almoço, lanche da tarde, jantar, lanche da noite. Todas as refeições consistiam basicamente de proteínas magras (frango), legumes no vapor (brócolis) e carboidratos integrais (arroz integral, massa e pães integrais), e eram precisamente calculadas de acordo com a quantidade exata de calorias que eu deveria consumir por dia, o que era em média 25% a menos do que minha necessidade calórica diária para manter o peso.

Para ajudar na precisão de tudo, comprei uma balança digital de mesa, que estava ao lado do meu prato em todas as refeições. Com meu prato em cima da balança e as panelas na frente, como se estivesse com um conta-gotas e um tubo de ensaio no laboratório, ia pesando tudo meticulosamente, os brócolis e o peito de frango, um por vez, até atingir a quantidade exata do que comeria naquela refeição.

Por alguns meses eu vivi assim como um robô que tinha todas as suas refeições, de três em três horas, friamente calculadas e previsíveis, e, como se isso ainda não fosse tortura o suficiente, também tinha montado um regime puxado de exercícios diários para seguir.

Então, no final das contas, eu emagreci ou não com tudo isso?

Sim, emagreci durante quatro meses, porém em detrimento da minha qualidade de vida. Lembro-me de ter até pensado: "Se emagrecer e manter o peso for tão difícil assim, eu prefiro é ser gordo!".

Afinal, imagine viver cada um dos seus dias, até mesmo fins de semana, de forma inflexível e calculada na ponta do lápis, com exercícios exaustivos, refeições sem gosto, pouco saciantes, e pontualidade britânica de comer a cada três horas para não "desacelerar o metabolismo".

Seria essa a vida que qualquer pessoa gostaria de ter? Será que emagrecer e manter o peso perdido depois é realmente tão difícil e nos obriga a viver uma vida inteira de martírio alimentar?

Sim, é realmente assim, porém, só se você continuar seguindo o que chamo de "paradigma quantitativo" do emagrecimento, em vez do libertador "paradigma qualitativo".

Não ganhamos peso porque comemos demais, mas sim porque comemos mal, assim como nosso emagrecimento verdadeiro não acontecerá ao comermos pouco, mas sim ao comermos melhor.

Paradigma quantitativo

O paradigma quantitativo do emagrecimento ainda é, infelizmente, o mais recomendado e divulgado no mundo, apesar de as evidências mostrarem claramente que ele é tanto ineficiente como ineficaz.

Esse paradigma consiste inteiramente no controle de quantidade, ou seja, no controle de quanto você come e se exercita. Ele tem base na ideia simplista e errada de que tudo se resume à matemática das calorias, isto é, de que se você está acima do peso é porque consome mais calorias do que gasta, e ponto-final. Foi esse paradigma que deu origem ao estereótipo injusto de uma pessoa acima do peso ser alguém simplesmente preguiçoso e guloso.

Ao se acreditar nesse paradigma, a única solução para o emagrecimento é aceitar que a vida consiste em uma balança calórica em que precisamos simplesmente comer menos e nos exercitar mais. Mas espere aí, não é justamente isso que temos tentado fazer nas últimas décadas, sem sucesso algum?

O paradigma quantitativo prega basicamente que todas as calorias são iguais, ou seja, que 100 calorias de brócolis são iguais a 100 calorias de açúcar. Se você comer demais, você engorda, se comer de menos, você emagrece.

Seguindo esse raciocínio (ou a falta dele) e assumindo-se que 1 quilo de gordura contenha aproximadamente 7 mil calorias, o processo funcionaria mais ou menos assim:

Assumindo-se que você precise de 2 mil calorias para se manter no peso atual e que seu balanço calórico no fim do dia, depois de todas as refeições e atividade ou inatividade física é de 2.200 calorias, você estaria ganhando peso ao ritmo de 1 quilo de gordura a cada 35 dias. Fazendo isso por um ano, resultaria em aproximadamente 11 quilos a mais de gordura no corpo, e ao seguir por cinco anos, 55 quilos. Tudo se resumiria a entender o corpo como uma calculadora que adiciona a ingestão calórica e subtrai a queima.

A mesma ideia simplista se aplicaria ao emagrecimento. Se você reduz seu consumo calórico em 20% por dia, seja através da redução do tamanho de suas refeições, seja através da prática de exercícios físicos, você gera um déficit calórico e emagrece 1 quilo a cada 35 dias, 11 quilos por ano etc.

Em resumo, nesse paradigma o ganho ou a perda de peso é um simples resultado matemático do balanço calórico. É isso que temos ouvido por décadas, é isso que é recomendado e é isso que a grande maioria da população tenta fazer para emagrecer. Tudo parece fazer completo sentido, mas somente no papel e na calculadora. O detalhe que nos esquecemos de considerar é que o corpo é um sistema biológico, hormonal e metabólico, e não uma máquina calculadora. Ooops! Falha nossa!

Estudos mostram claramente que seguir o paradigma quantitativo, ou seja, focar em comer menos e se exercitar mais, é a estratégia mais difícil de todas para emagrecer definitivamente.

Por exemplo, uma revisão[37] da Cochrane Collaboration publicada em 2002, que analisou os resultados de doze outros estudos, concluiu que "os resultados de perda de peso com dietas restritas em calorias são tão pequenos a ponto de serem clinicamente insignificantes".

Agora, para começarmos a quebrar esse paradigma, vamos nos fazer algumas perguntas básicas antes mesmo de falarmos em nutrição e metabolismo. Por exemplo: por que algumas pessoas mantêm o peso ao longo de anos? Será que elas são mestres matemáticos que conseguem calcular e ingerir diariamente, sem falha, por anos a fio, a exata quantidade calórica de que precisam? Note que uma falha de precisão de apenas 20 calorias por dia poderia resultar em um ganho de peso de 1 quilo por ano, 10 quilos em dez anos etc.

Será que essa ideia tem algum sentido evolutivo? Será que o fato de hoje a humanidade estar mais obesa do que nunca significa que nos esquecemos de como fazer matemática? Será que por toda a história ao longo de milhões de anos até pouco tempo atrás o ser humano sempre teve que pensar em quantas calorias ingeria e quantas queimava para manter a forma e a saúde? Por que algumas pessoas ganham peso continuamente, mas depois, apesar de continuarem com os mesmos hábitos, não ganham mais no mesmo ritmo?

37. Are low-fat diets better than other weight-reducing diets in achieving long-term weight loss? Disponível em: <www.aafp.org/afp/2003/0201/p507.html>. Acesso em: 28 jun. 2018.

Bem, apesar de ser teoricamente verdade que, de acordo com a segunda lei da termodinâmica, engordamos ao consumir mais calorias do que gastamos e emagrecemos ao criarmos um déficit calórico, em nível prático isso não explica nada.

É como se eu lhe perguntasse por que você está ficando careca, e você me respondesse que é porque mais cabelos caem do que crescem. Você estaria teoricamente correto, mas não saberíamos nada sobre o motivo desse problema ou sua possível solução. Talvez você tenha passado por momentos estressantes, esteja deficiente em alguns minerais ou esteja fazendo quimioterapia. Essas poderiam ser as verdadeiras causas da perda capilar, e não apenas a matemática de cabelos que nascem e caem.

Outro exemplo é que, ao nos depararmos com um estádio de futebol lotado, eu poderia lhe perguntar por que ele está lotado, e você poderia me responder que é porque entraram mais pessoas do que saíram. Você estaria 100% correto, mas isso não explicaria nada. Por que entraram mais pessoas do que saíram? Talvez porque seja a final da Copa do Mundo? Isso poderia explicar a verdadeira causa.

Logo, dizer que uma pessoa está obesa porque ingeriu mais calorias do que gastou está teoricamente correto, mas não explica nada nem nos dá pistas da solução.

Por que comemos mais do que precisamos? Será que ficamos gulosos e preguiçosos mesmo ou tem outra raiz do problema que estamos ignorando?

Estamos há décadas seguindo o paradigma quantitativo, sofrendo, cortando calorias, nos forçando a nos exercitar mais, e só o que colhemos foi frustração e uma terrível relação com a alimentação. Então, está mais do que na hora de fazer algo diferente, algo que leve em consideração o funcionamento do corpo e que gere os resultados permanentes que procuramos, sem uma vida inteira de sofrimento.

Como veremos juntos a seguir, a ciência já desvendou mais detalhes sobre todo esse processo e nos mostra que a quantidade do que se come é secundária à qualidade.

Paradigma qualitativo

Respire relaxado porque a sua visão sobre alimentação está prestes a mudar drasticamente e a fazer real sentido.

Nós, seres humanos, assim como todos os outros animais, possuímos no corpo dois mecanismos básicos e essenciais, que são fome e saciedade.

Por milhões de anos e até não muitas décadas atrás, antes mesmo da descoberta do próprio conceito de caloria pelo francês Nicolas Clément em 1824, nós sempre contamos com esses dois mecanismos para nos alimentar de acordo com nossas necessidades, e nunca tivemos problemas sérios de obesidade e doenças metabólicas que se comparem aos de hoje.

Imagine só: você sente fome e come; você se sente saciado e para de comer. Que ideia inovadora!

Nós nos perguntamos, então, o que pode ter acontecido na história recente que fez com que não mais possamos contar somente com esses incríveis mecanismos para mantermos um bom peso?

Embora tenha havido muitas mudanças desde então, pelo menos em se tratando de alimentação as mudanças mais drásticas começaram a acontecer a partir do advento da agricultura, por volta de 10 mil anos atrás, e depois com a mais recente Revolução Industrial e todos os avanços tecnológicos e industriais, o que passou a transformar o próprio conceito de alimento.

O fator crítico foi que, apesar de a disponibilidade (quantidade) de alimentos ter começado a aumentar com o tempo, o valor nutricional (qualidade) deles começou a cair.

Para piorar, como você vai entender ao longo deste livro, alguns dos alimentos mais consumidos hoje são capazes de atrapalhar o funcionamento dos sistemas de fome e saciedade a ponto de fazer você viver seus dias faminto, apesar de comer bastante e de estar, paradoxalmente, mal nutrido. Além disso, esses alimentos podem "programar" seu corpo para o armazenamento contínuo de gordura (e bloqueio da queima) até mesmo quando você come pouco deles.

Um corolário dessa ideia e que inverte completamente o modo em que pensamos em obesidade é o que foi dito com brilhantismo por Gary Taubes, no seu incrível livro *Por que engordamos e o que fazer para evitar?*: "nós não engordamos porque comemos demais e nos exercitamos de menos, nós comemos demais e nos exercitamos de menos porque nós engordamos".

Deu um nó na cabeça? Isso é normal, afinal, estamos falando em inversão completa de paradigmas. Fique tranquilo, tudo ficará mais claro à medida que seguirmos.

O paradigma qualitativo do emagrecimento e saúde tem base na ideia de que a qualidade do que você come é mais importante do que a quantidade e que, quando essa qualidade é ajustada, a quantidade toma conta de si própria. Ou seja, quando você come alimentos certos, você tenderá a automaticamente comer a quantidade certa para manter o melhor peso. Isso também é ecoado pelo respeitado médico endocrinologista de Harvard, dr. David Ludwig, em seu livro *Emagreça sem fome*: "a solução está em mudar o que comemos e não o quanto comemos".

Isso faz todo o sentido, pois diferentemente do que muitos acreditam as calorias não são todas iguais, e o corpo lida com elas de formas drasticamente diferentes.

Por exemplo, 100 calorias de salmão serão metabolizadas pelo corpo de forma bem diferente de 100 calorias de brigadeiro, impactando hormônios diferentes de forma distinta. Apesar de ambas as porções serem isocalóricas, ou seja, terem exatamente o mesmo valor calórico, uma delas deixará o corpo favorável ao acúmulo de gordura enquanto a outra, à queima. Uma delas dará mais saciedade enquanto a outra, mais fome.

Em grande parte, o que você come irá definir o quanto você come automaticamente.

É importante entender que as calorias não são todas iguais e que focar em controlar quantidades primordialmente em vez de qualidade não só é uma ideia fisiologicamente incorreta como também ineficiente e ineficaz.

Ainda, saiba do seguinte:

É MUITO MAIS DIFÍCIL GANHAR GORDURA EM EXCESSO FOCANDO NA QUALIDADE DE SUA ALIMENTAÇÃO, ISSO PORQUE É MUITO DIFÍCIL COMER DEMAIS QUANDO COMEMOS OS ALIMENTOS CERTOS, POR MAIS DELICIOSOS QUE ELES SEJAM, POIS OS SENSORES DE FOME E SACIEDADE TENDEM A FUNCIONAR CORRETAMENTE. NA REALIDADE, TENDEMOS ATÉ A COMER MENOS ESPONTANEAMENTE, SEM NEM MESMO PERCEBER, QUANDO COMEMOS DE FORMA CERTA![38]

Falando nisso, veja esse caso de estudo interessante feito alguns anos atrás no Reino Unido pelo britânico Sam Feltham, fundador da Public Health Collaboration e com quem já tive o prazer de conversar. Ele realizou um autoexperimento[39] interessante, que depois foi repetido por várias outras pessoas com resultados semelhantes e que acabou também tendo repercussão na mídia internacional.

Sam queria justamente comparar o paradigma quantitativo com o qualitativo em termos de ganho de peso. Para isso, ele se propôs a consumir um total de 5 mil calorias por dia durante 21 dias seguindo ambos os paradigmas, um de cada vez, e depois medindo os resultados. Aqui é importante destacar que a necessidade calórica diária dele para manter o peso era de apenas 2.300 calorias por dia, ou seja, ele estaria ingerindo aproximadamente 2.700 calorias a mais do que o necessário durante esses 21 dias.

A diferença crucial estaria em quais alimentos ele consumiria em cada teste para provar que, apesar do mesmo total calórico, alimentos diferentes gerariam resultados diferentes.

---

38. Effect of a low-carbohydrate diet on appetite, blood glucose levels, and insulin resistance in obese patients with type 2 diabetes. Disponível em: <www.ncbi.nlm.nih.gov/pubmed/15767618#>. Acesso em: 28 jun. 2018.

39. Why I didn't get fat from eating 5,000 calories a day of a high fat diet. Disponível em: <http://live.smashthefat.com/why-i-didnt-get-fat/>. Acesso em: 30 jan. 2018.

No primeiro teste, Sam consumiu as 5 mil calorias diárias por 21 dias provindas de alimentos de verdade e nutritivos (veremos mais sobre esse tema adiante). Logo, se todas as calorias fossem iguais, a matemática pregada pelo paradigma quantitativo ditaria que, durante esses 21 dias e com esse excedente calórico todo, Sam deveria ter engordado 7,3 quilos no período; no entanto, para sua surpresa, ele ganhou somente 1,3 quilo no total, uma diferença abismal de 6 quilos a menos do que o previsto, e ainda, no final desses 21 dias, suas medidas da cintura, apesar do pequeno aumento de peso, diminuíram três centímetros, ou seja, ele melhorou sua composição corporal mesmo comendo em excesso.

Já no segundo teste, Sam baseou sua alimentação no que eu chamo de substâncias comestíveis, ou seja, a qualidade de sua alimentação foi bastante inferior (similar à "pirâmide alimentar"), entretanto, a quantidade calórica consumida foi exatamente a mesma: 5 mil calorias por dia.

Os resultados foram igualmente impressionantes, mas por outro motivo, uma vez que Sam, no final dos 21 dias, engordou um total de 7,1 quilos e aumentou sua circunferência abdominal em incríveis 9,1 centímetros.

Apesar de a quantidade calórica ingerida ter sido exatamente a mesma, a qualidade da alimentação fez uma diferença crucial nos resultados, sendo que no segundo teste ele ganhou seis vezes mais peso e doze vezes mais circunferência abdominal do que no primeiro.

A qualidade do que você come é mais importante do que a quantidade, e as calorias não são iguais de forma alguma.

Como isso pode ser possível? Afinal, ele comeu em excesso em ambos os casos.

A resposta ficará cada vez mais clara à medida que seguirmos juntos aqui, mas entenda que, quando temos um metabolismo saudável e um sistema hormonal funcionando corretamente, o corpo fará o possível para manter a homeostase, ou seja, manter o peso ideal.

Em suma, é a qualidade da alimentação (o que você come) que irá basicamente definir a quantidade (o quanto você come), e é essa mesma qualidade que poderá programar o corpo para o armazenamento de gordura e fome ou para a queima de gordura e saciedade, ou seja, o que você come é mais importante do que quanto você come. As escolhas são suas!

Veremos mais sobre isso, mas por ora tenha em mente que esse entendimento poderá abrir um novo universo de possibilidades que lhe dará tanto liberdade alimentar como resultados verdadeiros de emagrecimento e saúde.

Bendita insulina

Nesse contexto de saúde e emagrecimento, se existe um hormônio que precisamos discutir e entender bem é a insulina.

O hormônio insulina é secretado pelo pâncreas e foi descoberto e entendido melhor durante o final do século XIX e início do século XX, quando por volta de 1921 o canadense Frederick Banting, da Universidade de Toronto, conseguiu isolá-la. Tão importante foi isso na época que Banting recebeu o Nobel de Medicina aos 32 anos, sendo até hoje o mais novo receptor do prêmio nessa área.

Embora o hormônio insulina e seu funcionamento sejam bastante abrangentes e complexos é importante entender alguns simples fatos cruciais.

O primeiro é que a insulina é um hormônio essencial à vida humana e que tem como um de seus objetivos manter os níveis de açúcar no sangue (glicemia) sob controle, isso porque tanto níveis muito altos quanto muito baixos de açúcar no sangue podem ser bastante problemáticos. Assim como a glicemia, insulina demais ou de menos no organismo também causará problemas.

Por exemplo, pessoas com diabetes tipo I, que é uma doença caracterizada pela incapacidade de o pâncreas produzir insulina suficiente, têm sérios problemas de saúde e, antes do descobrimento desse hormônio, estavam fadadas a uma curta e problemática vida. Por outro lado, as pessoas com diabetes tipo II sofrem de problemas causados pelo excesso de insulina, criando o quadro que chamamos de resistência à insulina, condição associada a uma gama de disfunções metabólicas.

Outro dado importante é que esse é o principal hormônio envolvido no processo de armazenamento de gordura no corpo.

A insulina, como definida em bioquímica,[40] é um hormônio que "regula o metabolismo de carboidratos, gorduras e proteínas absorvendo especialmente a glicose do sangue e levando-a às células de gordura, ao fígado ou aos músculos". Para fins de emagrecimento, é crucial entender que além de a insulina promover o armazenamento de gordura, ela também bloqueia sua queima! Anote isso!

Como dito em endocrinologia,[41] "a ação geral da insulina no adipócito [célula de gordura] é de estimular o armazenamento de gordura e de inibir sua mobilização [queima]", ou seja, em termos práticos, quando a insulina está agindo no sangue, ela está promovendo o acúmulo de gordura e bloqueando o emagrecimento. A insulina causa o ganho de peso, e isso já é sabido há décadas.

Agora, tenha em mente também que diferentes alimentos impactam de forma distinta a ação da insulina, alguns mais e outros menos, mesmo que tenham o mesmo valor calórico. Aqui começamos a entender como a qualidade tem supremacia sobre a quantidade.

Por exemplo, uma alimentação que estimula uma ação insulínica exagerada no sangue é uma alimentação que tenderá a favorecer o ganho de peso e que dificultará muito o emagrecimento, e a forma mais comum de se ter uma alimentação desse tipo é baseando suas refeições em alimentos de rápida digestão e baixa densidade nutricional, como carboidratos simples, refinados e processados.

Carboidrato é o macronutriente que mais promove o aumento dos níveis de açúcar no sangue e, consequentemente, também da insulina. É nesse contexto que o índice e a carga glicêmicos dos alimentos foram criados, para que se possa entender o impacto glicêmico de cada um deles.

40. STRYER, Lubert. *Biochemistry*. 4. ed. Nova York: W.H. Freeman and Company, 1995. pp. 773-4.

41. NUSSEY, S; WHITEHEAD, S. *Endocrinology: an integrated approach*. Oxford: BIOS Scientific Publishers, 2001.

Quanto maior a carga glicêmica de um alimento, maior seu impacto no açúcar do sangue e maior seu estímulo insulínico, logo, podemos extrapolar um pouco e entender que, de certa forma, quanto maior a carga glicêmica de um alimento, mais ele tenderá a promover o ganho de peso e dificultar o emagrecimento.

É interessante que, em sua maioria, quem domina os rankings das mais altas cargas glicêmicas são as substâncias comestíveis, isto é, alimentos processados, refinados e pobres em nutrientes, como açúcar, doces, farináceos, massas, bebidas adoçadas, cereais matinais etc.

Embora o fenômeno do ganho de peso seja multifatorial e não se resuma somente ao consumo de um item ou outro, a ciência mostra que esse mecanismo fisiológico tem influência crucial nesse contexto.

É importante também ter em mente que é somente entendendo o porquê dos processos, as causas reais de um problema, que podemos elaborar uma intervenção que de fato resolva a situação permanentemente.

Em breve veremos isso com mais detalhes, de forma que você retome o controle da alimentação, do peso e da saúde, entendendo exatamente por que esse novo estilo de vida funciona com comprovação científica. Mas, antes, mais uma palavra sobre calorias.

As calorias importam, mas não tanto

Como já foi visto, quando quebramos o paradigma quantitativo da alimentação — ao parar de controlar quantidade e focar de forma primordial na qualidade do que comemos, isto é, ao consumir alimentos nutritivos, não processados e refinados, que nosso corpo está evolutivamente programado para metabolizar —, o significado de caloria, e quem dirá sua contagem, se torna irrelevante. No entanto, isso não significa que calorias não importam.

O foco primário em calorias, como a maioria tenta usar como estratégia de emagrecimento e saúde, é um tiro no pé e algo comprovadamente contraprodutivo. Em outras palavras, focar primordialmente no controle de quanto se come em detrimento do que se come é uma grande falácia.

No entanto, independentemente da origem das calorias, o exagero do consumo delas, como tudo na vida, tenderá a resultar em problemas. Por isso o bom senso nunca sai de moda.

Por exemplo, sabemos que o óleo de coco virgem é um alimento muito antigo e benéfico, apesar de isso ainda não ser engolido por muita gente. No entanto, exagerar em seu consumo, adicionando-o por exemplo a cada um dos quatro copos de café que você toma ao dia e banhando suas carnes nele em todas refeições irá gerar um adicional calórico, o qual precisará, de uma forma ou de outra, ser queimado ou estocado no corpo na forma de gordura. Não existe milagre.

Por mais que seja bem mais difícil ganhar peso focando em alimentos de verdade do que em substâncias comestíveis, ainda assim isso é possível quando exageramos, principalmente nessa questão de gorduras adicionadas. Quando digo que não precisamos controlar voluntariamente a quantidade do que comemos, isso não significa que exagerar nelas é bem-vindo. Exagero é exagero, sempre!

Nós precisamos tirar o foco das calorias, não ignorá-las completamente. Bom senso é sempre recomendado, e exagero, sempre condenado.

O ganho de peso não é a causa do problema

É muito comum acreditar na ideia de que a obesidade ou o excesso de peso causa isso ou aquilo, acreditar que o excesso de peso causa diabetes, que a obesidade causa doenças cardíacas, que o ganho de peso causa câncer etc., pois é o que se vê divulgado por aí. Isso faz muita gente entender as questões de forma inversa e tomar atitudes contraprodutivas e perigosas a respeito do verdadeiro problema.

Por exemplo, é sabido que uma boa parcela dos diabéticos tipo II são pessoas com peso normal.[42] Além disso, um estudo[43] que analisou 111 pacientes consecutivos que chegaram ao hospital para tratar doença cardiovascular verificou que 37% deles estavam com peso normal. Esse é o mito da boa forma, afinal, boa forma não significa necessariamente saúde. Se o excesso de peso fosse a causa desses problemas, seria impossível que pessoas magras os desenvolvessem.

Do outro lado da moeda há também pessoas acreditando que estar bem acima do peso pode ser normal e não acarretar problemas. É o famoso "mito do gordinho saudável". Estudos[44] apontam que obesidade e excesso de peso são associados a maiores incidências de problemas de saúde no futuro. Logo, essa "saúde" em alguns obesos é somente uma situação temporária. Excesso de peso não é algo natural ou saudável, e aqui vai a mensagem importante:

O EXCESSO DE PESO NÃO É A CAUSA DESSES PROBLEMAS METABÓLICOS QUE VEMOS, MAS SIM SOMENTE MAIS UMA CONSEQUÊNCIA DELES. A VERDADEIRA CAUSA, A RAIZ DA SÍNDROME METABÓLICA, PARECE SER, PELO MENOS EM GRANDE PARTE, A CONDIÇÃO QUE CHAMAMOS DE RESISTÊNCIA À INSULINA.

Nós veremos isso em mais detalhes nos capítulos seguintes. Por ora vamos focar rapidamente no conceito da síndrome metabólica que hoje aflige uma grande e crescente parcela da população.

---

42. Secular trends in cardiovascular disease risk factors according to body mass index in US adults. Disponível em: <https://jamanetwork.com/journals/jama/fullarticle/200730>. Acesso em: 28 jun. 2018.

43. Impact of body mass index on vascular calcification and pericardial fat volume among patients with suspected coronary artery disease. Disponível em: <www.ncbi.nlm.nih.gov/pmc/articles/PMC4996293/>. Acesso em: 28 jun. 2018.

44. Disponíveis em: <www.nature.com/articles/ijo2017249> e <www.ncbi.nlm.nih.gov/m/pubmed/29699611/>. Acessos em: 28 jun. 2018.

Esse conceito é muito recente e começou a ser popularizado somente a partir dos anos 1970, significando que a humanidade viveu 99,99% do tempo sem esse mal. Por que será?

Árvore da Síndrome Metabólica

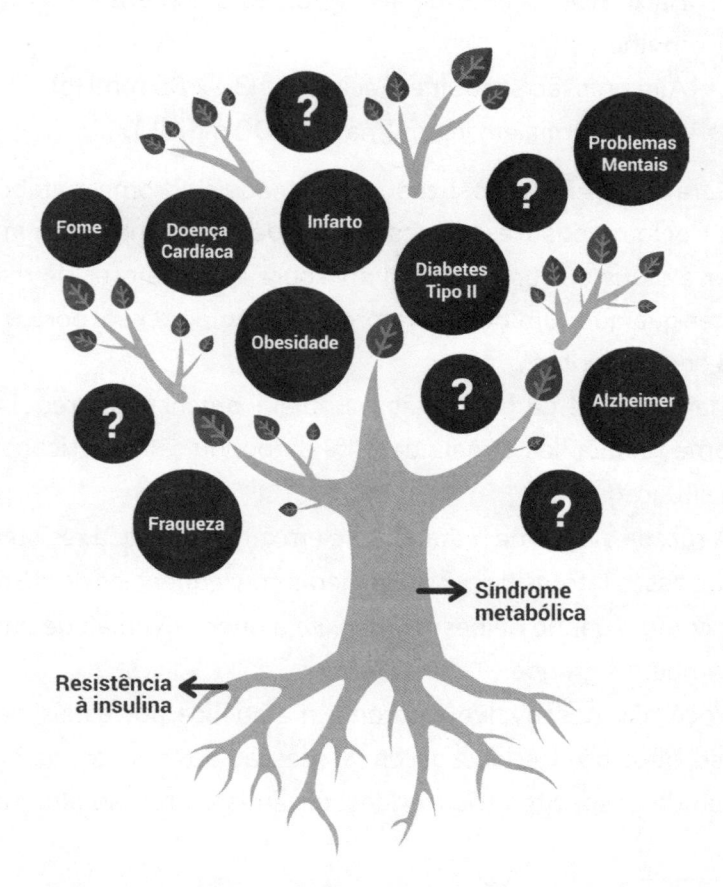

A síndrome metabólica, como definida[45] pelo National Heart, Lung and Blood Institute (NHLBI) nos Estados Unidos, é "um conjunto de fatores de risco que aumenta os riscos de doenças cardíacas e outros problemas de saúde, como infartos e diabetes".

---

45. Metabolic syndrome. Disponível em: <www.nhlbi.nih.gov/health-topics/metabolic-syndrome>. Acesso em: 28 jun. 2018.

Os fatores de risco[46] em questão são:

- Tamanho da circunferência abdominal (mais de 89 centímetros para mulheres e 102 centímetros para homens);
- Altos triglicérides no sangue (150 mg/dL ou mais ou menos, caso se faça uso de medicamentos para isso);
- Baixo HDL (menos de 40 mg/dL para homens e 50 mg/dL para mulheres);
- Alta pressão sanguínea (acima de 130 x 85 mmHg);
- Alta glicemia em jejum (mais de 100 mg/dL).

Para você ser diagnosticado como tendo síndrome metabólica, precisa ter pelo menos três desses fatores de risco. Outro fato importante a notar é o que o próprio NHLBI diz sobre esses fatores de risco: "Você pode ter qualquer um desses fatores de risco por si só, porém eles tendem a ocorrer juntos".

Mais de 25% da população mundial[47] preenche os requisitos para síndrome metabólica e mais de 34% da população americana[48] já está nessa situação.

A raiz da síndrome metabólica é em grande parte a resistência à insulina, e esses fatores de risco são meras consequências desse problema, assim como o ganho de peso. Então, veja que a inversão de paradigmas aqui também é grande.

Você não desenvolve síndrome metabólica por causa de excesso de peso, altos triglicérides, glicemia, pressão arterial etc., mas você tem excesso de peso, altos triglicérides, glicemia e pressão alta justamente

---

46. Mayo Clinic diagnosis for metabolic syndrome. Disponível em: <www.mayoclinic.org/diseases-conditions/metabolic-syndrome/diagnosis-treatment/drc-20351921>. Acesso em: 12 jun. 2018.

47. The IDF consensus worldwide definition of the metabolic syndrome. Disponível em: <https://web.archive.org/web/20120916064300/http://www.idf.org/webdata/docs/IDF_Meta_def_final.pdf>. Acesso em: 12 jun. 2018.

48. Persistent increase of prevalence of metabolic syndrome among U.S. adults: NHANES III to NHANES 1999-2006. Disponível em: <www.ncbi.nlm.nih.gov/pmc/articles/PMC3005489>. Acesso em: 12 jun. 2018.

porque tem síndrome metabólica, que, por sua vez, tem a resistência à insulina como a raiz da causa.

Agora, aproveitando que estamos invertendo paradigmas, por que não trazemos mais uma grande, porém pouco difundida, verdade à tona? Este é um conceito-chave:

VOCÊ NÃO PRECISA EMAGRECER PARA FICAR SAUDÁVEL, MAS PRECISA FICAR SAUDÁVEL PARA EMAGRECER.

É crucial compreender que o corpo busca sempre manter a homeostase, e isso também se aplica ao peso. Seu corpo quer se manter no peso ideal porque é assim que ele é mais saudável, ou seja, o ganho de gordura em excesso é sinal de problemas, sinal de que o corpo está lutando contra algo que está atrapalhando sua capacidade de manter essa homeostase.

Logo, quando você vê o ganho de peso como o único problema, como um transtorno isolado, tenderá a focar nisso cegamente, ignorando a verdadeira causa, e dará um tiro no pé seguindo dietas malucas, tomando medicamentos que prometem emagrecimento e até se submetendo a procedimentos cirúrgicos em nome do objetivo de se livrar daquela gordura.

Essas "soluções" serão meramente paliativas enquanto a verdadeira causa continuar sendo ignorada. Não cometa o erro comum de buscar o emagrecimento em detrimento da saúde!

Não é sem razão que as pessoas têm tanta dificuldade para emagrecer e manter o peso perdido. Nem mesmo pacientes de cirurgias bariátricas tendem a manter o peso com o tempo. Quando a causa do problema é ignorada, o corpo tenderá a ser resistente à perda de gordura e dificultar todo o processo.

Ganho de peso excessivo é sinal de um distúrbio maior e não a causa do problema em si! Quanto mais você tentar resolver o peso em vez da causa dele, mais fundo você estará caindo no poço.

É como se você estivesse com frio dentro de casa e colocasse cada vez mais casacos, a ponto de nem conseguir se mexer de tanta roupa. O frio está levando você a fazer isso, mas a verdadeira causa é o bendito ar-condicionado que você esqueceu ligado no máximo. Desligue o aparelho e pronto, o problema estará resolvido.

Quando entendemos que o excesso de peso é um problema metabólico e hormonal, e não uma mera conta calórica, e passamos a implementar os hábitos de estilo de vida que ajudam o corpo a restabelecer seu bom funcionamento, veremos nosso peso voltando ao normal sem grandes e heroicos sacrifícios.

Nosso corpo quer ser saudável e em forma, mas somos nós que dificultamos isso com hábitos alimentares modernos.

Luz no fim do túnel

Como sabiamente disse o biólogo Theodosius Dobzhansky: "nada na biologia faz sentido, exceto à luz da evolução".

Em se tratando de hábitos saudáveis, navegamos em um mar turbulento de contradições, e no meio dessa confusão toda quem sofre é aquele que mais precisa de instruções claras de como levar uma vida saudável.

Por isso, deixe-me compartilhar com você uma pergunta que poderá protegê-lo e lhe trazer sobriedade toda vez que ouvir recomendações por aí sobre alimentação e hábitos saudáveis:

PERA AÍ, ISSO FAZ SENTIDO À LUZ DA EVOLUÇÃO?

Independentemente de suas crenças sobre a origem da raça humana, acredito que todos nós podemos concordar que temos andado pelo planeta Terra por pelo menos algumas centenas de milhares de anos, e ainda estamos por aqui. Ou seja, durante 99,5% do tempo não tínhamos as conveniências de hoje e mesmo assim sobrevivemos milhares de gerações, enfrentando todo tipo de intempéries, ameaças, desafios e dificuldades. Logo, podemos sempre questionar novas sugestões que hoje ouvimos à luz da evolução.

Por exemplo, se você ler por aí ou ver em documentários que gorduras saturadas fazem mal, antes mesmo de contestar as evidências científicas, você pode fazer uma rápida análise evolutiva perguntando-se: "Pera aí, isso faz sentido à luz da evolução?".

Como vimos, gorduras saturadas estão presentes em todo e qualquer alimento que contém gorduras de qualquer forma. Elas estão presentes na gordura de animais, no coco, no azeite de oliva e até no leite materno; sempre existiram em abundância na natureza e têm sido consumidas por humanos durante toda a história da nossa espécie sem problema algum. Será que faz sentido que algo tão natural e que está até presente no leite materno seja um veneno para a saúde?

Essa pergunta é uma arma poderosa, afinal, se algo não faz sentido evolutivo, precisa motivar sérias dúvidas e ser criticamente analisado antes de ser aceito.

Ainda, a triste realidade hoje é que estamos ganhando expectativa de vida a custo de qualidade de vida. Apesar da nossa expectativa de vida ter só aumentado ao longo das últimas décadas com os avanços da medicina e do conforto em geral, nossa qualidade de vida não necessariamente tem aumentado junto. Estamos ficando doentes cada vez mais cedo e por mais tempo.

Investigações em tribos indígenas isoladas mostram que os idosos tendem a viver ativamente, saudáveis e em forma, trabalhando e caçando até uma idade avançada, quando de súbito se sentem mais fracos e, em questão de poucos dias ou semanas, vêm a falecer de forma natural, ao passo que hoje nas sociedades modernas vivemos décadas e décadas de fraqueza e sofrimento cada vez maiores antes que o fim inevitavelmente chegue.

Essa é uma tragédia inconsolável! Hoje, com todo o conforto e a comodidade que temos à disposição, estamos mais doentes e definhando mais cedo do que nunca. Qual é o problema?

Embora as dietas de povos tradicionais variem drasticamente entre si, tais povos parecem não sofrer das mesmas doenças que assolam o mundo moderno, vivendo ativamente e com incidência raríssima ou inexistente de problemas como câncer, diabetes, doença cardíaca, obesidade e síndrome metabólica. O que será que todos esses povos têm em comum, apesar dos estilos de vida bastante diferentes?

Isso é o que veremos agora e que também estabelecerá a base de toda a filosofia deste livro. Vamos descobrir qual é esse "segredo", dando uma passeada ao redor do mundo e analisando alguns povos, suas características físicas e também seus hábitos alimentares.

Kitavanos

Vamos começar nosso passeio com essa população um tanto isolada, que vive em uma pequena ilha na Papua Nova Guiné.

Em uma análise[49] publicada no *Journal of Internal Medicine* em 1994, que focou nos riscos cardiovasculares dos kitavanos, é dito que eles são marcados pela "boa forma física e baixa pressão sanguínea", e em outra análise[50] diz-se que "o consumo de alimentos ocidentais é insignificante e tanto infartos como doença cardíaca isquêmica não existem ou são raros".

E quais são os hábitos alimentares dos kitavanos?

Eles têm uma dieta predominantemente constituída de carboidrato (69%), relativamente baixa em gordura (21%) e proteína (10%), e os principais alimentos consumidos são tubérculos (inhame, batata-doce, taioba), frutas, peixes e coco.

Além disso, eles não consomem nada de álcool, café, chá ou lactose, e seus níveis de atividade física são semelhantes aos nossos aqui no Ocidente. Interessante!

---

49. Cardiovascular risk factors in a Melanesian population apparently free from stroke and ischaemic heart disease: the Kitava study. Disponível em: <www.ncbi.nlm.nih.gov/pubmed/8077891>. Acesso em: 28 jun. 2018.

50. Low serum insulin in traditional Pacific Islanders — the Kitava study. Disponível em: <www.ncbi.nlm.nih.gov/pubmed/10535381>. Acesso em: 28 jun. 2018.

Okinawanos

Os okinawanos, que vivem na região mais pobre do Japão, até pouco tempo atrás possuíam a maior expectativa de vida do mundo, com homens vivendo até os 84 anos e mulheres até os 90 anos.[51]

Como se alimenta esse povo tão marcado pela longevidade e pela vitalidade? Sua dieta tradicional é formada por 60% de imo, uma espécie de batata local, além de ovos, arroz e legumes. Pouca quantidade de peixe é consumida e carne de porco é extremamente valorizada, sendo consumida raramente, e ainda carnes e laticínios constituem menos de 3% da dieta.

Estima-se que a dieta dos okinawanos seja constituída de 85% de carboidrato, 9% de proteína e 6% de gordura. Note que o baixo consumo de proteína (peixes e porco) se deve à escassez desses alimentos, e não a preferências.

Masais

Das ilhas do Japão fazemos uma longa viagem até a tribo dos masais, que fica perto da fronteira do Quênia com a Tanzânia, na África.

Em um estudo que analisou essa população e foi publicado em 2002 no jornal *PLOS*,[52] é dito que "eles têm baixos níveis de colesterol no sangue e que raramente sofrem de pedras na vesícula ou doenças cardíacas", enquanto outro estudo[53] diz que "eles têm uma alimentação errática", ou seja, um consumo de alimentos irregular e imprevisível. Seriam pistas de que eles naturalmente praticam o jejum intermitente?

Sua dieta tradicional, que é interessante, é quase completamente oposta à dos dois povos que vimos anteriormente, e eles também são extremamente saudáveis!

O estudo publicado no *PLOS* diz ainda que "sua dieta tradicional de leite, sangue e carne é rica em lactose, gorduras e colesterol". Estima--se que dois terços da dieta masai seja constituída de gordura e quase

---

51. Longevity and diet in Okinawa, Japan: the past, present and future. Disponível em: <www.ncbi. nlm.nih.gov/pubmed/18924533>. Acesso em: 28 jun. 2018.

52. Lactase persistence and lipid pathway selection in the Maasai. Disponível em: <http://journals. plos.org/plosone/article?id=10.1371/journal.pone.0044751>. Acesso em: 28 jun. 2018.

53. MANN, G.V. et al. Cardiovascular disease in the Masai. *Journal of Atherosclerosis Research*, v. 4, pp. 289-312, 1964.

nada de carboidrato, e que eles consumam, em média, de 600 a 2 mil miligramas de colesterol por dia, enquanto as recomendações oficiais da Associação Americana do Coração, até pouco tempo atrás, eram de apenas 300 miligramas, no máximo. Interessante!

Inuítes

Essa população vive na região ártica do norte do Canadá, e uma das melhores documentações da vida desses povos foi escrita pelo explorador canadense Vilhjalmur Stefansson,[54] que viveu por onze anos com eles no começo do século XX. Ele e outros pesquisadores documentaram ao longo do tempo que os inuítes são marcados pela ausência de obesidade e diabetes tipo II, têm ótimos dentes e incidência raríssima de câncer.

Sua dieta tradicional[55] é praticamente desprovida de carboidrato e constituída basicamente de carne de foca, de baleia e da gordura de ambas. Estima-se que a alimentação inuíte seja constituída de 35% a 40% de proteína, 50% a 75% de gordura e virtualmente zero carboidrato.

Agora, para completarmos, considere o estudo[56] publicado em 2010 no jornal *Clinical Nutrition*, que analisou a composição da dieta tradicional de 229 populações consideradas "caçadoras-colhedoras" e observou que 73% dessas populações consumiam mais de 50% das suas calorias diárias de alimentos de fonte animal e somente 14% delas obtinham mais de 50% de suas calorias diárias de alimentos de origem vegetal.

Depois de vermos povos que vivem em habitats completamente diferentes e com dietas tradicionais até mesmo opostas, umas sendo ricas em gordura e outras em carboidrato, notamos que todos parecem usufruir de uma vida saudável, em forma e com raríssima incidência de doenças "modernas", como doença cardíaca, diabetes e câncer.

---

54. Para saber mais sobre a vida de Vilhjalmur Stefansson, visite: <www.thecanadianencyclopedia. ca/en/article/vilhjalmur-stefansson/>.

55. GADSBY, Patricia. The Inuit paradox. *Discover Magazine*. pp. 1-4, 2004.

56. Plant-animal subsistence ratios and macronutrient energy estimations in worldwide hunter-gatherer diets. Disponível em: <https://academic.oup.com/ajcn/article/71/3/682/4729121>. Acesso em: 28 jun. 2018.

Qual seria o segredo? O que esses povos, apesar de incrivelmente diferentes entre si, têm em comum?

A resposta é:

TODAS ESSAS DIETAS TRADICIONAIS SÃO BASEADAS NO CONSUMO DE ALIMENTOS DE VERDADE E NA RESTRIÇÃO SEVERA DE SUBSTÂNCIAS COMESTÍVEIS.

Fique tranquilo que veremos mais sobre isso em breve e sobre como você também pode tirar vantagem desse conhecimento para atingir seu ápice de performance como ser humano, sua melhor forma física e saúde. No próximo capítulo, alertarei sobre um problema que está devastando nossa sociedade.

Ricardo Polesso (11 quilos eliminados em sessenta dias)

RICARDO POLESSO

-15kg

Minha vida, no que diz respeito à saúde e à boa forma, sempre foi uma aventura. Uma verdadeira montanha-russa, até recentemente.

O Rodrigo sabe muito bem disso, do tempo em que morávamos com nossos pais.

Desde minha adolescência lutei contra um sobrepeso leve, experimentando todos os tipos de rotinas radicais de treino nas academias e também regimes e "dietas milagrosas". Tudo isso nunca em vão, é claro, afinal, os resultados sempre apareciam para justificar o esforço.

Porém, para mim eles nunca duravam muito tempo e eram extremamente difíceis de serem conquistados.

Consequentemente, minha conclusão naquela época não poderia ser diferente: eu não fui feito para ter um corpo atlético. "Minha genética não permite." Simples! Ah, como isso é comum de se pensar (e como dói ouvir isso hoje em dia...).

Mas tudo mudou quando conheci e botei em prática o Código Emagrecer De Vez e a Alimentação Forte. Essa foi uma radiante luz no fim do túnel.

Foi uma etapa de recordes pessoais:

- Perda de peso recorde;
- Ganho de massa muscular recorde;
- Quantidade de esforço recorde (a menor de todas);
- Resultados incríveis em tempo recorde.

Hoje, com 30 anos, estou com meus marcadores de saúde incrivelmente saudáveis e com o melhor físico da minha vida, pesando 79 quilos (15 a menos de quando comecei o Código) e com um físico superior ao que eu queria inicialmente e achava ser possível.

Porém o mais importante é que passei a ter um estilo de vida incrível e muito mais relaxado!

O jejum intermitente passou a ser minha ferramenta preferida para lidar com qualquer "deslize" em função de viagens ou férias.

Em conclusão, hoje eu como tudo o que mais gosto de comer, me exercito da forma que eu bem entendo e tenho um desempenho físico/mental fantástico. Tudo sem o auxílio de nenhum medicamento, suplemento ou terapia.

Esse foi o impacto que o Código Emagrecer De Vez e a Alimentação Forte tiveram na minha vida. Nada mal, hein? Valeu mano! :)

5.
RESISTÊNCIA À INSULINA

"NÓS NÃO CONSEGUIMOS RESOLVER
NOSSOS PROBLEMAS COM O MESMO PENSAMENTO
QUE USAMOS PARA CRIÁ-LOS."
ALBERT EINSTEIN

A o longo dos últimos anos, em que tenho interagido com milhares de pessoas que buscam e atingem a melhor forma e saúde de sua vida, tenho notado que suas chances de sucesso aumentam drasticamente quando entendem o porquê por trás dos novos hábitos que estão implantando em sua rotina. Informação e entendimento são poder!

Com isso em mente, você está prestes a absorver uma espécie de superpoder neste capítulo ao entender exatamente como o corpo ganha peso e também desenvolve a condição que está no cerne de uma grande árvore de problemas de saúde.

A resistência à insulina está fortemente associada não só à extrema dificuldade das pessoas em emagrecer e à facilidade de ganhar peso, mas também a muitas das mais temidas enfermidades modernas, como doenças cardíacas, câncer, depressão, demência e Alzheimer, diabetes tipo II, e a lista continua...

Entretanto, quando você corta o mal pela raiz, ou seja, resolve a condição ou previne que ela ocorra, diminui drasticamente seus riscos de problemas e, como bônus, ainda tenderá a ter um corpo em forma sem muito esforço.

Árvore da Resistência à Insulina

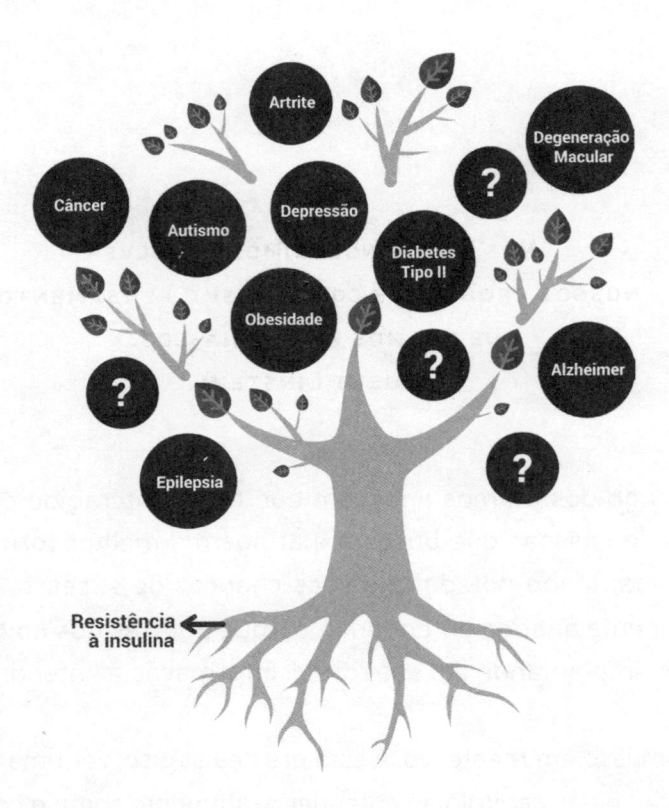

Imagine-se vivendo uma vida em que não mais fique apreensivo contando com a sorte de não desenvolver diabetes, câncer, doenças cardíacas ou Alzheimer ao longo dos anos. Uma vida em que sua saúde e seu bem-estar estão em grande parte sob seu controle.

Enquanto sabemos que nada na vida é 100% e que pode haver outros fatores desconhecidos que potencialmente contribuam para esses problemas, um dado é certo e parece ser consenso entre os mais competentes profissionais da área: em grande parte, essas doenças podem ser melhoradas e prevenidas com mudanças alimentares e de estilo de vida, e em alguns casos até revertidas.

O objetivo aqui é que você entenda que as doenças mais temidas do mundo moderno hoje não se devem totalmente ao acaso ou a uma questão de má sorte, e que o seu estilo de vida e sua alimentação têm influência ativa nas suas chances de ser impactado ou não por elas. O controle está em suas mãos, e essa é uma ótima notícia quando sabemos o que fazer.

Além do mais, nesse caso, estudos mostram que a resistência à insulina é completamente prevenível e em muitos casos até reversível.

Como se desenvolve

Pronto para seguir comigo por uma rápida jornada pelo nosso incrível corpo humano e entender como essa condição tão séria se desenvolve?

Para nosso propósito didático aqui, essa é uma simplificação considerável dos mecanismos biológicos envolvidos nessa condição, que é multifatorial e complexa. A explicação a seguir foi inspirada em uma excelente palestra conduzida pelo irlandês Ivor Cummins durante um congresso de saúde em Breckenridge, nos Estados Unidos, em 2017.

Primeiro, vejamos em linhas gerais como tudo funciona em um corpo que está metabólica e hormonalmente saudável e vivendo um estilo de vida como o da Alimentação Forte:

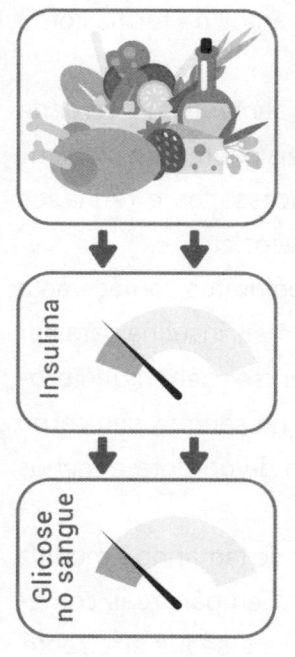
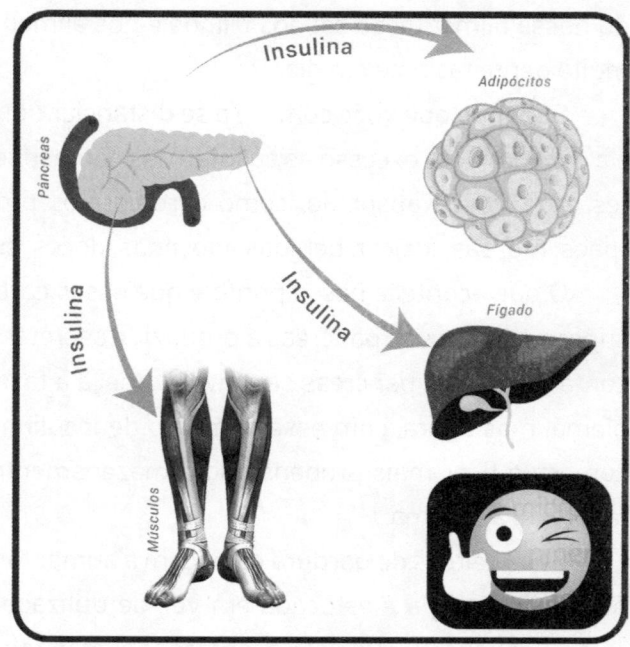

O pâncreas é o órgão responsável pela produção e pela secreção do hormônio insulina, que visa a baixar a glicose no sangue. Vale relembrar que um dos grandes objetivos do corpo é manter a glicemia sob controle, isto é, gerenciar os níveis de glicose (açúcar) no sangue, porque, caso contrário, em excesso ela é bastante tóxica. É por essa questão que muitos diabéticos em estágios avançados infelizmente acabam perdendo a visão e precisando amputar membros.

Quando você se alimenta corretamente, seu pâncreas secreta insulina em quantidade e hora certas, fazendo seu papel com perfeição e mantendo tudo em ordem. A insulina ajuda a levar seus nutrientes aos músculos, células de gordura (adipócitos) e também ao fígado. O excesso de energia é então direcionado às suas reservas de gordura, onde seus adipócitos o aceitarão de bom grado por estarem bem sensíveis a esse hormônio ou às suas reservas de glicogênio, que é um estoque pequeno de energia rápida nos músculos e no fígado.

Nosso conto de fadas acaba por aí, porque os vilões começarão a tomar conta à medida que vamos começar a simular o que acontece quando nossa alimentação sai dos trilhos e nos alimentamos da forma como muita gente faz hoje em dia.

Suponha que você comece a se distanciar dos alimentos de verdade e a consumir em excesso as substâncias comestíveis pobres em nutrientes e de rápida absorção, como carboidratos processados e refinados (pães, massas, açúcar, bebidas adoçadas, doces, sucos etc.).

O que acontece nesse ponto é que esses carboidratos começarão a superestimular seu pâncreas a produzir e secretar mais insulina para dar conta deles. Seu pâncreas saudável começa a fazer isso sem muito problema, mas agora, com esse aumento de insulina no sangue, seu corpo começa a ficar mais propenso ao armazenamento de gordura e menos favorável à queima.

Suas células de gordura começam a aumentar de tamanho à medida que mais energia é estocada em vez de utilizada. Seu pâncreas começa a questionar o que está acontecendo, mas releva e segue em frente, achando que é algo temporário. Note aqui que, apesar do aumento da insulina, os níveis de glicose no sangue (glicemia) ainda estão perfeitamente controlados.

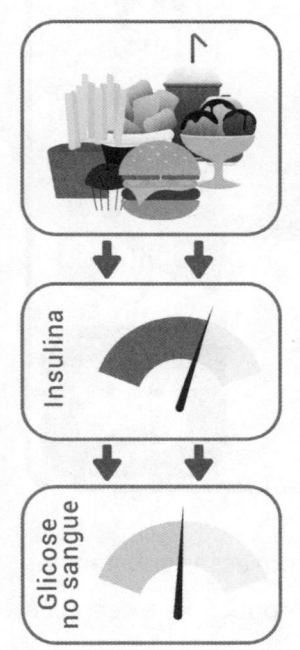
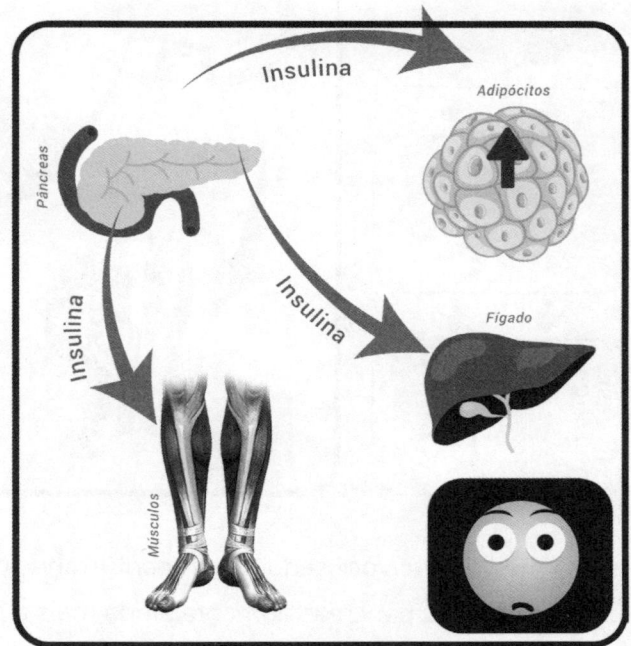

Bem, para a tristeza do seu pâncreas, seus hábitos alimentares parecem ter mudado de vez. Você continua a consumir substâncias comestíveis em excesso no dia a dia, a comer mais açúcares no geral.

O açúcar de mesa, sacarose, é constituído de 50% de glicose e 50% de frutose. Enquanto a glicose em si é metabolizada com a insulina conforme estamos vendo, a frutose, apesar de não elevar os níveis de glicose no sangue e não estimular a insulina de forma direta, é especialmente problemática porque será metabolizada diretamente pelo fígado, onde será transformada em gordura. Ou seja, o açúcar é duplamente tóxico!

O excesso de frutose (seja de açúcar, sucos ou frutas doces) no fígado comprovadamente irá colaborar para o desenvolvimento de resistência à insulina local nesse órgão e na síndrome do fígado gorduroso. Isso é bem documentado na ciência.

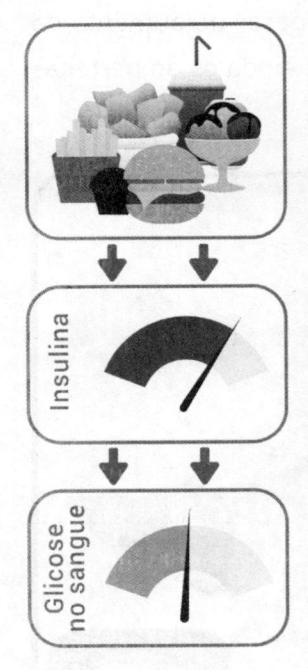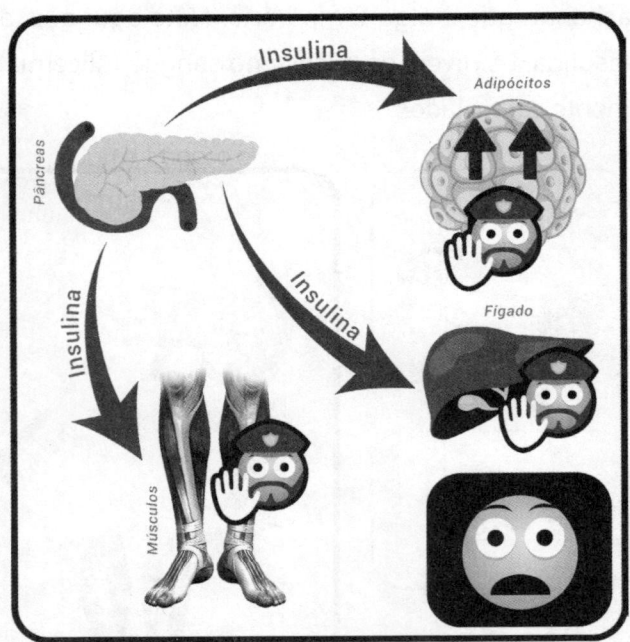

À medida que você segue se empanturrando com essas substâncias comestíveis, seu pâncreas aumenta ainda mais a produção e a secreção de insulina, a qual manda com mais força toda essa glicose que você está ingerindo para seus músculos, fígado e tecido adiposo, afinal, lembre-se, seu corpo precisa se livrar desse excesso de glicose no sangue com prioridade.

Como seus músculos e seu fígado não precisam desse excesso de glicose, eles passam a ficar menos receptivos a ela, ou seja, começam a ficar mais resistentes à insulina.

O que acontece é que vai sobrar para suas células de gordura (adipócitos), já que a energia extra precisa de um destino. Elas agora começam a receber grande quantidade de energia para ser armazenada, e a insulina começa a não pedir isso com muita educação, começando a "forçar a barra".

Isso obviamente não deixa as células de gordura muito satisfeitas, já que agora elas também começam a ficar resistentes à força da insulina.

No entanto, apesar de o sistema estar um pouco abalado e de olhares de raiva começarem a rolar no grupo, seu corpo ainda está conseguindo manter a glicemia controlada.

Porém, agora o pouco equilíbrio vai começar a ir ladeira abaixo rapidamente à medida que você continua com seus hábitos. Note que, enquanto um estado de resistência à insulina temporário pode se desenvolver em questão até de horas, uma resistência à insulina crônica pode demorar anos, dependendo do tipo de pessoa e de seu estilo alimentar.

Com seu pâncreas precisando aumentar cada vez mais a produção e a secreção de insulina, ele começa a entrar em pane com essa rotina desumana de trabalho. A quantidade de insulina no seu sangue é grande para poder dar conta de toda essa glicose que vem chegando de todas as suas refeições pobres em nutrientes e de rápida absorção.

Para piorar a situação, seus músculos, fígado e agora também seus adipócitos inflamados pelo excesso de gordura armazenada começam a ficar cada vez mais resistentes à insulina.

Imagine que a insulina fosse como um carteiro que entrega correspondências na sua casa. Se ele começar a bater forte demais na porta toda vez que tiver uma carta, você vai ficar irritado.

Se o bendito carteiro começar a chutar a porta em vez de bater e entregar cartas todo santo dia de manhã e à tarde, você vai perder o controle e não vai querer mais nem abrir a porta para recebê-lo, afinal, você nem mesmo tem mais gaveta para guardar tanta correspondência, além do mais, já está bastante irritado com a atitude dele.

Agora, se o filho da mãe do carteiro, vendo que você não abre mais a porta para receber as cartas que ele precisa desesperadamente entregar, começar a usar de uma marreta para arrombar sua porta, você ficará aterrorizado e extremamente resistente a ele e, além disso, vai tomar providências sérias, blindando sua porta para se proteger do ataque desse terrível ser humano.

Nesse ponto, parabéns, assim como suas células musculares, seu fígado e seus adipócitos, você também se tornou bastante "resistente" à insulina (carteiro). Com isso, todo sistema começa a trabalhar além da carga máxima, e seu corpo começa a ficar cada vez mais inflamado e gordo por causa disso.

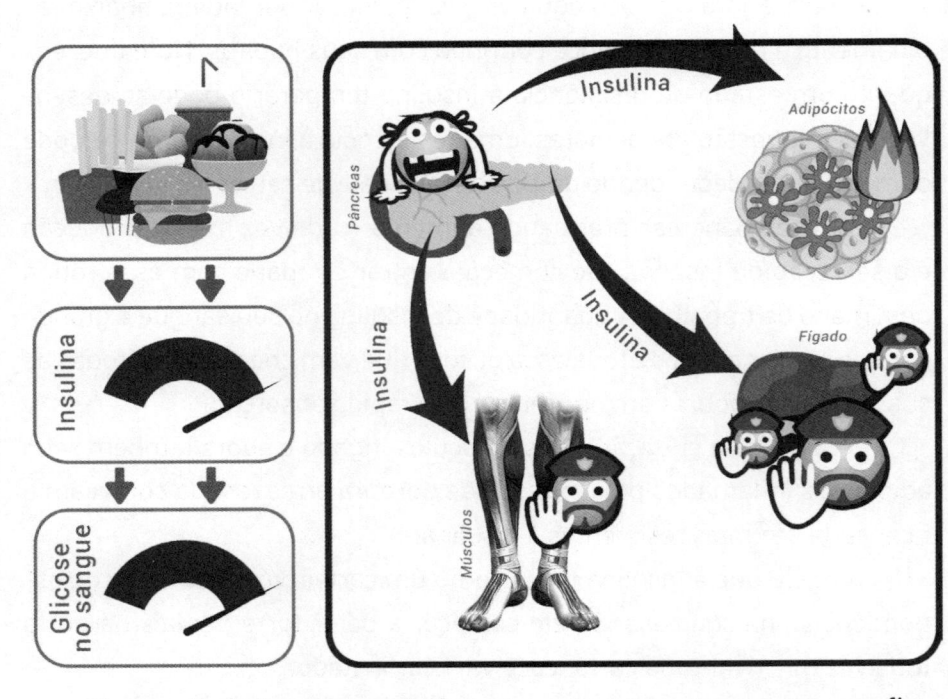

Seus adipócitos, expandindo-se constantemente, começam a ficar doentes e inflamados, e passam a recrutar macrófagos, que são células que se livram de coisas problemáticas no corpo. Suas células de gordura estão tão inflamadas e doentes que começam a "vazar", causando lipólise descontrolada, o que resulta na liberação de triglicérides e ácidos graxos livres na corrente sanguínea, formando um círculo vicioso.

Seu corpo está resistente à insulina devido ao excesso presente na corrente sanguinea, porém seu pâncreas continua tentando produzir mais e mais insulina para dar conta de manter a glicemia e a lipólise controladas, mas isso só reforça a resistência em si. Acho que fica fácil de ver que isso não terá um final feliz, não é?

No entanto, note ainda que, por incrível que pareça, apesar de toda essa calamidade metabólica, seu corpo está conseguindo atingir o objetivo número um, que é manter sua glicemia controlada. Sua glicose no sangue ainda está sob controle! Mas agora, em vez de você se tocar e reverter seus hábitos alimentares, você segue em frente, e isso leva seu organismo a atingir uma situação catastrófica, a gota d'água.

Seu pâncreas, completamente exausto, manda você ir catar coquinho e diminui drasticamente a produção de insulina. A insulina no sangue agora não mais dará conta de evitar a lipólise (vazamento) nas suas células de gordura, e a contínua liberação de ácidos graxos e glicerol na sua corrente sanguínea estimulará seu fígado a produzir glicose continuamente, até mesmo enquanto você estiver em jejum.

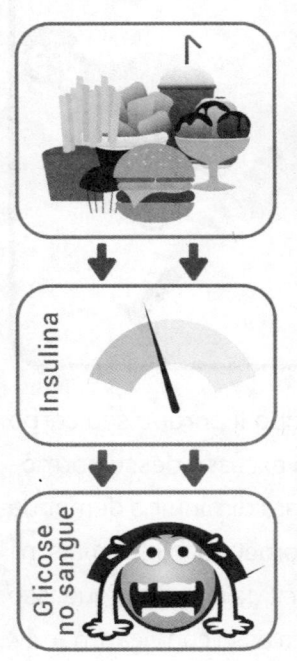
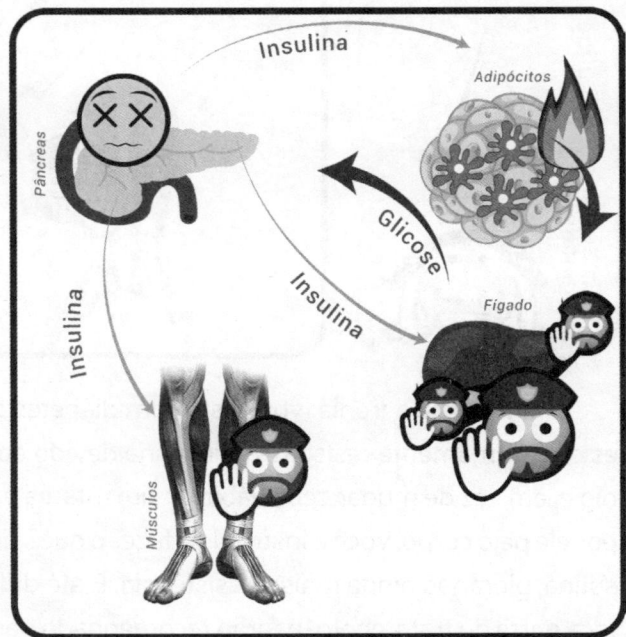

Com isso tudo acontecendo, a glicose não tendo destino, seu fígado produzindo ainda mais glicose, seu pâncreas exausto, sua insulina sendo insuficiente e suas células estando resistentes à insulina, finalmente o pior acontece, e é *game over*: seus níveis de açúcar, sua glicemia, finalmente saem do controle.

Nesse ponto, você será diagnosticado como diabético tipo II, precisará começar a tomar medicamentos para controle glicêmico e talvez ainda a injetar insulina para contornar a falência do pâncreas. Você ouvirá que diabetes tipo II é uma doença progressiva e incurável e estará fadado a uma vida sofrida e restrita. Claro, a menos que mude seus hábitos drasticamente, atacando a raiz do problema.

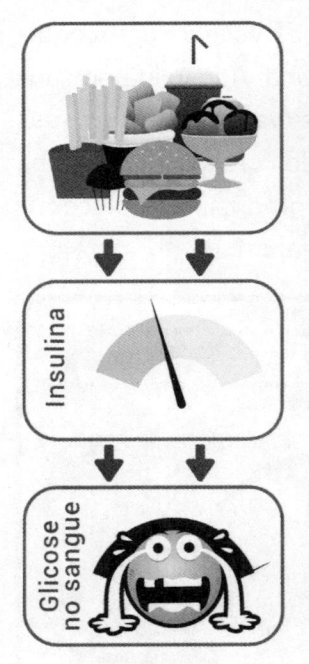 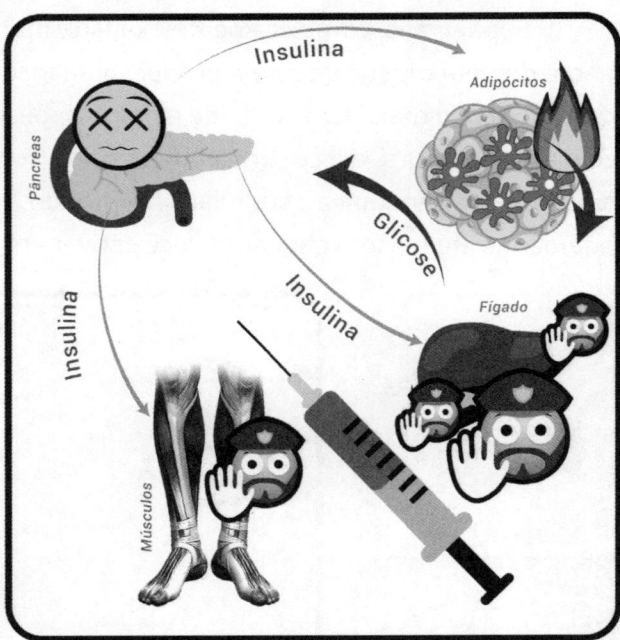

Agora, veja a ironia: você está com diabetes tipo II porque seu corpo está extremamente resistente à insulina devido ao excesso desse hormônio e, em vez de mudar seus hábitos alimentares para diminuir a demanda por ele pelo corpo, você é instruído a fazer o quê? Começa a injetar mais insulina, piorando ainda mais a resistência. É até difícil de acreditar que isso faça parte do tratamento-padrão recomendado para essa condição, não é?

Como você pode ver, a glicose no sangue tende a ser a última a sair de controle quando o problema todo já está grave. Ou seja, muita gente, apesar de não ser diagnosticada diabética, já está há décadas desenvolvendo a resistência à insulina, problema que poderia ter sido evitado! No entanto, a solução do problema só irá ocorrer quando atacarmos a causa dele.

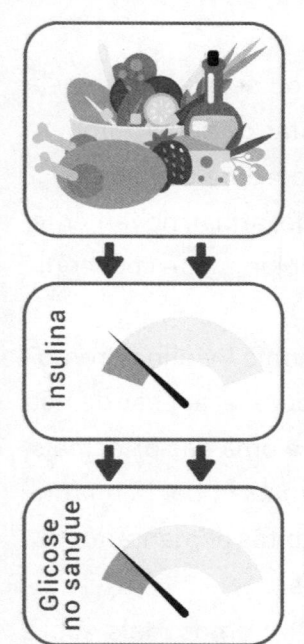
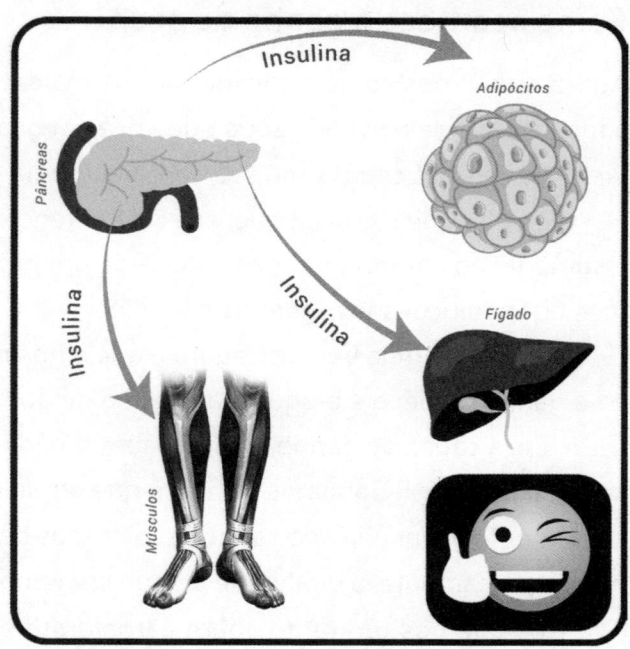

Ao resolvermos a causa primária, que é a inundação do organismo por substâncias comestíveis inflamatórias, pobres em nutrientes e tipicamente ricas em carboidratos de rápida absorção, e substituirmos isso por um estilo alimentar com base na Alimentação Forte, nesse caso específico mais baixo em carboidratos, podemos começar a reversão do problema, e isso já foi evidenciado em vários ensaios clínicos.

Tal situação acontece porque, ao pararmos de gerar a enorme demanda insulínica através da alimentação errada, o corpo gradualmente voltará a se tornar sensível a esse hormônio, e seu pâncreas poderá voltar a funcionar normalmente. Com isso, a tendência é que sua glicemia volte ao normal, sua inflamação crônica diminua, sua vitalidade aumente e, claro, seu excesso de peso se desfaça.

É importante ressaltar que existem também vários outros fatores de estilo de vida que potencializam o problema e colaboram para o acelerado desenvolvimento da resistência à insulina, como baixa vitamina D, tabagismo, sedentarismo, estresse, uso de óleos vegetais etc.

Como acontece o ganho de peso

Agora que vimos como a raiz de muitos males, ou seja, a resistência à insulina, se desenvolve, acho que você vai gostar de saber também de forma simplificada como seu corpo acumula gordura em excesso.

Perceba que é crucial que isso seja entendido, afinal, novamente, é somente ao compreender as causas de um problema que conseguimos criar soluções verdadeiras para ele.

O que sabemos bem até agora é que o hormônio insulina promove o ganho de peso e bloqueia a queima de gordura, e, apesar de não ser a única causa do ganho de peso, sem dúvida é uma das principais, senão a principal. Sabemos também que o que mais impacta no funcionamento da insulina no sangue são nossos hábitos alimentares, ou, mais precisamente, a qualidade do que comemos.

Nós falamos um tanto sobre carboidrato e veremos mais sobre esse tema adiante, porém tenha em mente que os carboidratos não são todos iguais! Carboidratos refinados, processados e industrializados, que encontramos nas prateleiras por aí como açúcares, grãos, massas, pães, doces, bebidas adoçadas, farináceos em geral etc., são especialmente problemáticos e promotores do ganho de peso.

Esses tipos de carboidratos, além de serem extremamente pobres em nutrientes, são basicamente fonte pura de energia e de absorção ultrarrápida, ou seja, não promovem nutrição e saciedade, mas sim fome e desnutrição por substituírem outros alimentos melhores.

O impacto dessas substâncias comestíveis no seu peso ao longo do tempo poderia ser simplificado da seguinte forma:

CONSUMO EXAGERADO E FREQUENTE DE CARBOIDRATOS DE MÁ QUALIDADE → ESTÍMULO INSULÍNICO AGUDO E FREQUENTE → FAVORECIMENTO AGUDO E FREQUENTE DE GANHO DE PESO E BLOQUEIO DA QUEIMA DE GORDURA.

Logo, existem dois fatores mais importantes que influenciarão diretamente sua capacidade de ganhar peso:

- O que você come;
- A frequência com que come.

Vimos que o que você come define em grande parte o quanto você come e também que alimentos diferentes, apesar de poderem ter o mesmo valor calórico, são metabolizados de maneira completamente diferente pelo corpo, impactando de forma também distinta seu metabolismo e seu sistema hormonal.

Agora, a regularidade com que comemos também é importante, principalmente se o que comemos está promovendo um quadro negativo de saúde. Quanto maior a frequência com que você tem uma refeição desse tipo, mais habitualmente você estimula o ganho de peso. A boa notícia é que o que você come também influencia na constância com que você come.

Vamos relembrar que o papel da insulina é o de promover o armazenamento de gordura e de bloquear sua queima, ou seja, o corpo fisiologicamente só consegue queimar a gordura estocada (lipólise) quando os níveis de insulina estiverem baixos. Então, quanto mais picos insulínicos gerar durante o dia, mais fácil será ganhar peso e mais difícil será emagrecer.

Vamos a uma analogia simplificada para tudo ficar mais claro.

Imagine que a proteína, o carboidrato e a gordura que você come são como diferentes tipos de lenha que você joga em uma fogueira, a qual seria como a resposta insulínica do corpo.

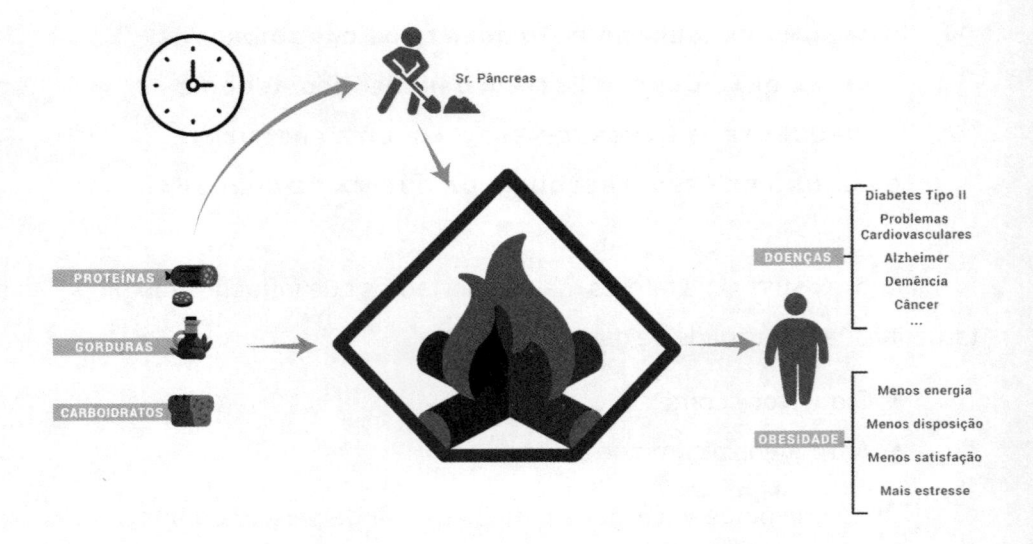

As gorduras são como uma lenha que praticamente não queima, as proteínas queimam um pouco e os carboidratos refinados queimam muito rapidamente, como pólvora. Quanto mais alto esse fogo, mais alta a insulina no sangue, maior o ganho de peso e menor a queima de gordura. Ou seja, você quer que essa fogueira queime de forma baixa e controlada.

Nesse cenário, se você jogar um monte de pólvora na fogueira várias vezes ao dia e pouco das outras lenhas, essa fogueira queimará alto e fora de controle na maior parte do tempo. Ou seja, ingerindo carboidratos de má qualidade como base das suas refeições e fazendo isso várias vezes ao dia, você irá superestimular seu pâncreas a fabricar mais insulina e deixar você em estado de ganho de peso.

Por exemplo, se você se alimenta de três em três horas com refeições que seguem a "pirâmide alimentar", você tenderá a jogar pólvora nessa fogueira seis vezes ao dia, e, lembre-se, é somente quando o fogo estiver queimando baixo (insulina baixa) que sua gordura poderá ser mobilizada. Para piorar, você começa a se sentir mais cansado e com mais fome por causa de um fenômeno conhecido como "inanição interna".

O que acontece é que, apesar do enorme estoque de energia na forma de gordura que você possa ter, os constantes altos níveis de insulina no sangue não permitem que seu corpo use essa energia como combustível, fazendo com que você sinta fome sobretudo de carboidrato, já que ele pode ser queimado rapidamente com a ajuda da insulina, à qual você estará também mais resistente.

Vendo seu peso aumentar de forma contínua no espelho e se sentido com fome e cansado o tempo inteiro, você começa a ficar mais estressado, e aí o cenário começa a piorar ainda mais rápido. O estresse passa a liberar mais o hormônio cortisol na sua corrente sanguínea, que conhecidamente também promove o ganho de peso, entre outras funções importantes, já que ele libera glicose na sua corrente sanguínea para ser queimada. Nesse cenário, essa é a última coisa que você quer.

Agora a situação é que você programou o seu organismo para o constante armazenamento de gordura, você continua comendo errado com frequência, com fome o tempo inteiro, baixa energia, baixa disposição e ainda estressado com tudo.

A situação fica realmente complicada, e você já não mais aguenta viver assim e decide fazer uma dieta. Com seu organismo funcionando dessa forma, você começa a fazer uma dieta "tradicional", reduzindo suas calorias e começando a se exercitar mais, mesmo sem vontade.

O que acontece é que seu corpo entra em desespero porque você não tem energia (nem nutrientes) disponível para se exercitar nem glicose suficiente para queimar durante o dia, já que está contando suas calorias a dedo e seus estoques de gordura estão inacessíveis. Com isso, a única saída para seu corpo é desacelerar o metabolismo de maneira a se ajustar à sua nova rotina. Essa é uma forma inteligente de o corpo lidar com um jeito não inteligente de você tentar emagrecer.

Com o metabolismo mais lento, ou seja, queimando menos calorias por dia, você vai precisar comer ainda menos e se exercitar ainda mais para tentar continuar perdendo peso. À medida que isso acontece, o corpo continua se reajustando à nova realidade. Você pode perceber aqui que isso não vai ir muito longe até que alguém desista, certo?

É por essas e outras, como vimos, que você não pode cair na falácia de acreditar que precisa emagrecer para ficar saudável! Você precisa é ficar saudável para poder emagrecer corretamente, atacando a causa do problema, que são seus hábitos alimentares errados. Quanto mais você tentar lutar contra seu corpo e buscar emagrecimento em detrimento da sua saúde, mais você terá resistência e frustração.

Ao implementar um estilo de vida correto como o da Alimentação Forte que veremos a seguir e espaçar suas refeições naturalmente de acordo com a prática estratégica do jejum intermitente, por exemplo, você começará a regularizar seu sistema hormonal e metabólico e a permitir que o corpo se autorregule no peso ideal, lhe dando energia, disposição e saúde no processo. Você estará jogando junto com seu corpo.

Em suma, o que irá definir se você ganha ou perde peso é o que você come e a frequência com que você come. Essa frequência, por sua vez, é determinada pelo que você come.

A única maneira de comer demais e frequentemente é fazendo refeições pobres em nutrientes, de rápida metabolização, pouco saciantes e que estimulem o ganho de peso. Só é possível comer o tempo todo quando comemos mal!

Ao reajustarmos a qualidade da nossa alimentação, a frequência das nossas refeições irá cair naturalmente sem nem mesmo percebermos, afinal, estaremos nos sentindo saciados por mais tempo.

Agora que você entende mais que 99% das pessoas sobre seu corpo e os mecanismos de ganho e perda de peso, está na hora de você e seu corpo jogarem no mesmo time, aprendendo a implementar um estilo alimentar realmente libertador, emagrecedor e saudável.

6.
ALIMENTAÇÃO FORTE

"A CADA VEZ QUE VOCÊ COME OU BEBE,
ESTÁ ALIMENTANDO SAÚDE OU DOENÇA."
HEATHER MORGAN

Esqueça as amarras que lhe privaram até aqui, os hábitos que você se forçou a ter e as dietas que só lhe frustraram, pois chegou a hora de começar a dar forma ao seu novo estilo de vida e a conquistar, talvez pela primeira vez, uma verdadeira liberdade alimentar no dia a dia que não só o leve à boa forma, mas o mantenha lá e, o mais importante, sentindo-se bem no processo.

Para isso, precisamos ver alguns conceitos simples e poderosos que abrirão as portas dessa nova e sensacional forma de viver, começando pelo ponto crucial que é saber bem a diferença entre alimentos de verdade e substâncias comestíveis e ter a habilidade de fazer a escolha certa.

Diferença entre alimentos de verdade e substâncias comestíveis

Lembra-se da "dieta da pergunta poderosa" que vimos na introdução deste livro? Chegou a hora de adquirir a habilidade de respondê-la com confiança! Isso pode mudar o jogo para você.

O simples hábito e a habilidade de saber identificar se determinado alimento é um alimento de verdade ou uma substância comestível pode ser a diferença entre uma vida saudável, longeva, em forma, e uma vida problemática, sofrida e curta. Essa distinção deveria ser óbvia e, na verdade, na minha opinião, era bastante óbvia até não muitas décadas atrás, quando a variedade e a quantidade de substâncias comestíveis ainda era reduzida. Hoje, estamos rodeados por elas e não mais sabemos o que é o quê. Estamos distorcendo o próprio conceito de alimento.

Os alimentos de verdade formam a base da Alimentação Forte. São aqueles que estamos evolutivamente programados para consumir e que sempre foram encontrados na natureza ao longo de toda a história da nossa espécie. "Coincidentemente" eles também são os mais nutritivos, saciantes e promotores de saúde. Eram tudo o que existia antigamente, e eram conhecidos simplesmente como "alimentos". No entanto, hoje a situação está tão crítica que precisamos fazer essa distinção, não é verdade?

Ditos "de verdade" são os alimentos naturais, saborosos, nutritivos, não modificados e minimamente processados ou não processados. Em geral eles também são alimentos integrais, no sentido de conterem a combinação perfeita de macronutrientes, vitaminas, minerais e enzimas necessárias para sua digestão otimizada.

Como exemplos, temos:

- Carnes de todos tipos (bovina, de peixe, frango, porco, carneiro, bichos selvagens etc.);
- Frutos do mar de todos tipos;
- Ovos de diversos animais (pato, codorna, galinha etc.);
- Legumes dos mais diversos;
- Folhas;
- Tubérculos e raízes (mandioca, taioba, batata-doce etc.);
- Castanhas, nozes e sementes;
- Laticínios integrais e seus derivados (queijos, iogurtes etc.);
- Gorduras naturais (manteiga, azeite de oliva, óleo de coco, banha etc.);
- Frutas selvagens de baixo teor de açúcar.

Outra característica da grande maioria dos alimentos de verdade é que eles tipicamente contêm apenas um ingrediente, isto é, o alimento em si. Um bife é um bife, um ovo é um ovo e uma amêndoa é uma amêndoa; rótulos não se fazem necessários para identificá-los.

No entanto, tenha em mente que é plenamente possível (e saboroso) fazer receitas e quitutes com todos os ingredientes de verdade.

Em contrapartida há as substâncias comestíveis.

Alimento é definido no dicionário *Michaelis* como "toda substância que, introduzida no organismo, serve para alimentar ou nutrir". Então, como as substâncias comestíveis nem nos alimentam, nem nos nutrem, elas também não merecem a denominação "alimento", por isso limitando-se a "substância".

Diferentemente dos alimentos de verdade, criados pela "mãe natureza", brinco que as substâncias comestíveis, em sua maioria, são criadas pela "madrasta indústria", ou seja, feitas pelo homem. Em essência, as substâncias comestíveis são tipicamente "alimentos" processados ou ultraprocessados, refinados ou ultrarrefinados, modificados química, genética ou industrialmente e, de forma notável, pobres em nutrientes.

Frequentemente as substâncias comestíveis são vendidas em pacotes, latas e caixas com data estendida de validade e possuem mais de um ingrediente, fazendo-se necessário o uso de rótulos para identificação, e muitas vezes um diploma em química para entendê-los. Além disso, em geral elas são hiperpalatáveis, ou seja, artificialmente deliciosas, o que acaba por hackear nossos sensores de prazer e recompensa no cérebro, gerando compulsão e vício, além de dessensibilizar nosso paladar. Ao contrário dos alimentos de verdade, essas substâncias não são integrais, ou seja, são combinações tipicamente não naturais de macronutrientes ou contêm quantidades não naturais de minerais e vitaminas, o que impacta de modo negativo na habilidade do corpo em metabolizá-las.

Como exemplo, temos:

- Açúcares de todas as formas (de cana-de-açúcar, de coco, mascavo, demerara etc.);
- Farináceos no geral, como pães, massas e biscoitos;
- Óleos vegetais (canola, girassol, milho, soja etc.);
- Sobremesas e doces no geral (exceto os que se adaptam à Alimentação Forte);

- Soja e derivados dela (leite de soja, proteína texturizada, imitações etc.);
- Derivados de farinha de trigo, centeio e afins ultraprocessados;
- Grãos em sua maioria e cereais, integrais ou não (trigo, soja, centeio, granola, milho, cuscuz etc.);
- Refrigerantes e bebidas adoçadas;
- Comidas prontas que não se adaptam à Alimentação Forte.

Estamos literalmente rodeados por substâncias comestíveis. Enquanto antigamente a única opção que tínhamos para nos nutrir eram alimentos de verdade, hoje precisamos nos esforçar para enxergá-los.

Os mercados típicos de hoje possuem um layout de forma que os alimentos de verdade ficam "de escanteio", isto é, nos cantos e arredores, enquanto as substâncias comestíveis preenchem os corredores centrais e nos perseguem até a dois passos do caixa. O contrário, felizmente, tende a acontecer em feiras de rua, onde os agricultores e criadores expõem seus alimentos frescos e nutritivos com prioridade.

É importante ressaltar aqui que o uso de substâncias comestíveis como base da alimentação, em vez de alimentos de verdade, e os efeitos catastróficos disso na saúde humana começaram muito antes da Revolução Industrial ou do próprio surgimento do conceito de "indústria".

Talvez o melhor exemplo tenha sido a vida da civilização egípcia antiga, entre aproximadamente 30 a.C. até 640 d.C., cuja saúde era notoriamente precária.[57] Estudos e registros que analisaram a alimentação dessa civilização nesse período[58] mostram que "a dieta do antigo Egito era basicamente baseada em trigo e pães". Aliás, os egípcios gostavam tanto de pão que se diz que foram apelidados de *"artophagoi"*, ou seja, "comedores de pão".

---

57. The Lancet. Atherosclerosis and diet in ancient Egypt. Disponível em: <www.thelancet.com/journals/lancet/article/PIIS0140-6736(10)60294-2/abstract>. Acesso em: 28 jun. 2018.

58. Dr. Michael Eades em palestra gravada na conferência LCHF, realizada na Cidade do Cabo, em 2015. Were the ancient Egyptians healthy, while basing their diet on wheat?. Disponível em: <www.dietdoctor.com/where-the-ancient-egyptians-healthy-while-basing-their-diet-on-bread>. Acesso em: 02 fev. 2018.

Sua dieta tradicional, de acordo com o médico americano dr. Michael Eades em palestra na Cidade do Cabo, em 2015, era constituída na maior parte de carboidrato, contendo legumes, pães, frutas, mel, alguns óleos, poucas vezes peixe e aves e raramente carne vermelha. Em sua essência, os egípicios tinham uma alimentação baixa em gordura e alta em carboidrato e grão. Nota alguma semelhança com as dietas recomendadas hoje em dia como saudáveis? Pois é, ainda não aprendemos, ao passo que esses povos conhecidamente sofriam com diabetes, hipertensão, excesso de peso, uma infinidade de cáries nos dentes, doenças arteriais etc.

O fato de os egípcios basearem sua alimentação em substâncias comestíveis antigas, isto é, em alimentos refinados e pouco nutritivos (além dos já mencionados, algumas referências mostram também cerveja, vinho etc.), acabou por deteriorar sua saúde de forma geral, e muitos registros apontam problemas que vão muito além de doença cardíaca, obesidade e cáries, passando por baixa estatura, alta pressão sanguínea, ginecomastia (homens com peitos aumentados por causa de problemas hormonais), entre outras condições.

Agora, em contrapartida, veja o incrível trabalho que o dentista americano Weston A. Price documentou na metade do século XX, quando, intrigado pela péssima saúde dentária e precária saúde geral de seus pacientes (principalmente crianças) no Ocidente, resolveu viajar a partes isoladas do mundo, distantes da indústria e das conveniências modernas, para verificar o estado da dentição e saúde desses povos que não tinham muito acesso às substâncias comestíveis modernas.

Price documenta[59] que encontrou tribos e vilas onde virtualmente todo indivíduo exibia uma genuína perfeição física, sem cáries e sem malformação dentária. Ele tirou muitas fotos do sorriso desses povos, e todas elas estão catalogadas no seu trabalho.

---

59. Ancient dietary wisdom for tomorrow's children. Disponível em: <www.westonaprice.org/health-topics/traditional-diets/ancient-dietary-wisdom-for-tomorrows-children/>. Acesso em: 2 fev. 2018.

Ainda segundo o que ele diz, esses povos tinham "uma quase inexistente incidência de doenças, até mesmo aqueles vivendo em lugares inóspitos e extremamente desafiadores".

Curiosamente, ele documentou também a base da dieta alimentar desses povos isolados. Por exemplo, nas vilas suíças que visitou, a alimentação se baseava em laticínios integrais não pasteurizados, manteiga, creme, sopas (brodo), carne ocasional e os poucos legumes que podiam cultivar durante a curta estação do verão. As crianças nem mesmo escovavam os dentes.

Moradores do norte da Escócia não comiam nenhum laticínio, mas baseavam sua dieta em peixes. Os esquimós no norte do Canadá comiam basicamente peixes, animais marinhos e sua gordura. Os maoris, no sul da Nova Zelândia, comiam peixes e frutos do mar, seguidos de porco e banha e uma variedade de vegetais como coco, mandioca e frutas.

Perceba que, à luz da história, parece claro que, quanto mais nos distanciamos dos alimentos de verdade, integrais e nutritivos, independentemente até da composição de macronutrientes da dieta (proteína, carboidrato e gordura), e nos aproximamos das substâncias comestíveis, mais problemas de saúde começamos a ter.

Agora, veja como é dramática a diferença na saúde de uma nação quando começa a comer menos alimentos de verdade e mais substâncias comestíveis.

Um exemplo moderno e clássico disso é a China, cujo povo sempre foi marcado por ser saudável e longevo. Com a abertura recente desse país ao mercado internacional, a situação começou a mudar com rapidez. Estudos publicados em 2016[60] mostram que a prevalência de excesso de peso em meninos e meninas na China em 1985 era de 0,74% e 1,5%,

---

60. WANG, Jeanette. Explosion in childhood obesity in China 'worst ever', expert says of new study findings. *South China Morning Post*. 27 de abril de 2016. Disponível em: <www.scmp.com/lifestyle/health-beauty/article/1938620/explosion-childhood-obesity-china-worst-ever-expert-says-new>. Acesso em: 31 jan. 2018.

respectivamente. Apenas vinte anos depois, a prevalência de excesso de peso em meninos e meninas passou a ser de 17,2% e 13,9%, respectivamente, isto é, teve um chocante aumento de 900% em tão pouco tempo! Os chineses não ficaram mais preguiçosos e gulosos nesse curto período, mas tiveram um grande aumento na facilidade de acesso às substâncias comestíveis do Ocidente.

Recentemente tive o privilégio de passar um bom tempo no Japão, em Taiwan e na Coreia do Sul e pude observar com clareza que a obesidade já é algo comum em pessoas de todas as idades. Além disso, panificadoras e afins agora são extremamente populares nesses países cuja tradição nunca foi consumir muito desse tipo de "alimento".

Isso é chocante quando pensamos que tanto mudou em poucos anos, à medida que nos distanciamos dos alimentos de verdade e sucumbimos às substâncias comestíveis.

Em um relatório publicado há pouco no conceituado *The New England Journal of Medicine*[61] foi mostrado que em 2015 a China já possuía o maior número de crianças obesas do mundo, com mais de 15 milhões, e o segundo maior número de adultos obesos, mais de 57 milhões, perdendo somente para os Estados Unidos.

No mundo moderno no qual a indústria é tecnológica, capaz, eficiente e criativa, oferecendo fácil e barata conveniência de substâncias comestíveis a quase todo mundo que as procura, todas as grandes nações do Ocidente estão sofrendo em meio a uma verdadeira epidemia de obesidade e doenças nunca antes vista.

Os números de obesidade[62] (e não somente excesso de peso) são impressionantes, chegando a 38,2% nos Estados Unidos, 32,4% no México, 30,7% na Nova Zelândia, 30% na Hungria, 27,9% na Austrália, 26,9% no Reino Unido e 20,8% no Brasil.

---

61. Measuring the global burden of disease. Disponível em: <www.nejm.org/doi/full/10.1056/NEJMra1201534>. Acesso em: 28 jun. 2018.

62. Dados do OECD Obesity Update 2017. Disponível em: <www.oecd.org/els/health-systems/Obesity-Update-2017.pdf>. Acesso em: 28 jun. 2018.

Todas as nações modernas estão vendo seus números de obesidade aumentar drasticamente nos últimos cem anos, e, mais uma vez, não acredito que isso tenha acontecido porque ficamos mais preguiçosos nesse período, mas sim porque nossos hábitos alimentares mudaram tão significativamente na direção errada. No entanto, o problema não se resume a obesidade e excesso de peso, infelizmente.

Vivemos também em meio a uma epidemia de doenças sérias, conhecidas como "doenças da vida moderna" ou, como escrito pelo jornalista e autor irlandês Brian Inglis ainda em 1983, "doenças da civilização".

A Organização Mundial da Saúde mostra[63] que a causa número um de mortes em todo o planeta são as doenças cardiovasculares, lembrando que elas são e foram extremamente raras em populações tradicionais. Um total de 17,7 milhões de pessoas ao redor do mundo morreram em 2015 por causa de doenças cardiovasculares, representando quase um terço de todas as mortes globais.

A própria Organização Mundial da Saúde diz em seu site que "a maior parte das doenças cardiovasculares pode ser prevenida alterando-se hábitos como tabagismo, má dieta e obesidade".

Considere os dados publicados pela Associação Americana do Coração no seu mais recente relatório[64] de 2017, intitulado "Estatísticas de Doença Cardíaca e Infartos". Em 1900, o número de mortes atribuídas a doenças cardíacas nos Estados Unidos era de 40 mil, tendo aumentando drasticamente ao longo dos anos e, depois de uma sensível queda nos anos mais recentes, atingiu a marca de 800 mil mortes em 2014. Enquanto a população do país cresceu por volta de quatro vezes ao longo desse tempo, o número de mortes por doenças cardíacas cresceu vinte vezes. Algo está obviamente errado!

Para piorar, segundo o Centro de Controle de Doenças norte-americano, a crescente incidência de câncer vem tomando espaço[65] e já passou

---

63. Cardiovascular diseases (CVDs). Disponível em: <www.who.int/mediacentre/factsheets/fs317/en/>. Acesso em: 31 jan. 2018.

64. American Heart Association. Heart Disease and Stroke Statistics—2017 Update, p. E362.

65. Changes in the leading cause of death: recent patterns in heart disease and cancer mortality. Disponível em: <www.cdc.gov/nchs/data/databriefs/db254.pdf>. Acesso em: 28 jun. 2018.

as doenças cardíacas em número de mortes em 22 estados em 2014, ao passo que isso acontecia somente em 2 estados no ano 2000.

O aumento no consumo de substâncias comestíveis e até os incentivos governamentais e de profissionais do ramo para isso, em paralelo com a diminuição do consumo das dietas tradicionais baseadas em alimentos de verdade, pode ser (e ao meu ver com certeza é) o principal fator que explica tal calamidade. Está mais do que na hora de começarmos a reverter essa tendência, caso contrário não serão os dinossauros os únicos a serem extintos.

Perceba que o ponto aqui não está em voltarmos a comer como selvagens antigos e limitarmos totalmente o consumo de outros itens, mas em voltarmos a consumir os alimentos mais naturais e nutritivos do planeta na maior parte do tempo, aqueles que estamos evolutivamente programados para comer, enquanto podemos tirar proveito de toda a tecnologia e a conveniência que temos hoje para tornar isso ainda mais prático e gostoso.

Assim, podemos resumir em linhas gerais tudo o que vimos neste capítulo em uma simples e poderosa fórmula para a saúde:

SAÚDE, BOA FORMA, LONGEVIDADE E VITALIDADE = MENOR OU INFREQUENTE CONSUMO DE SUBSTÂNCIAS COMESTÍVEIS E MAIOR OU ABUNDANTE CONSUMO DE ALIMENTOS DE VERDADE.

Então, agora que você sabe a diferença entre alimentos de verdade e substâncias comestíveis, passa a ser sua responsabilidade tomar o controle de sua saúde e de sua alimentação.

Princípio da Alimentação Forte

A Alimentação Forte não é uma dieta, mas sim um estilo alimentar, uma forma de viver baseada em um conjunto simples de hábitos e filosofias flexíveis e adaptáveis, que você pode seguir pelo resto da vida, ajustando de acordo com suas necessidades imediatas.

Recentemente vimos o conceito de "substâncias comestíveis" e "alimentos de verdade", e também que a saúde e a boa forma no mundo começaram a ir ladeira abaixo muito rapidamente à medida que começamos a nos distanciar de um e nos aproximar do outro. Logo, o objetivo primário da Alimentação Forte é nos reconectarmos às verdadeiras e deliciosas fontes naturais de saúde e boa forma, à abundância de nutrientes que constroem e mantêm um corpo esguio, saudável e cheio de vitalidade, bem como uma mente alerta, jovem, clara, apta e hábil a funcionar em alta performance, todos os dias.

Além disso, como já disse, isso não significa voltarmos a comer como os índios do Amazonas, as tribos africanas ou os esquimós do Alasca, ignorando o mundo moderno, suas conveniências e facilidades, mas sim usarmos o melhor disso tudo em nosso benefício.

Aliás, outro dia mesmo, por exemplo, fiz uma receita deliciosa de quindim de micro-ondas que se adapta perfeitamente à Alimentação Forte. Os ingredientes foram apenas gemas de ovos, coco ralado, óleo de coco e adoçante (usei eritritol). Ficou de dar água na boca e nada mais é do que Alimentação Forte criativa.

Esse é só um exemplo de como podemos usar da modernidade para elaborar delícias que não estavam disponíveis milênios atrás e que nem por isso precisam danificar nossa saúde. Aliás, você ficará surpreso com a variedade criativa de receitas e sabores possíveis com a Alimentação Forte.

A ideia é que você entenda os fundamentos desse estilo de vida e que possa, então, usar dessa habilidade para aproveitar todos os benefícios de vivermos no mundo moderno e ao mesmo tempo esbanjar saúde e boa forma com uma alimentação saudável, nutritiva, saborosa e até dinâmica e criativa. Ao longo das próximas páginas você vai entender como isso abrirá um novo universo de possibilidades para você.

O sucesso na aplicação da Alimentação Forte como estilo de vida tem sido realmente impressionante, seja através dos meus programas de emagrecimento, como o Código Emagrecer De Vez (http://codigoemagrecerdevez.com.br), seja através da Tribo Forte (http://triboforte.com.br), seja através das centenas de vídeos, palestras e artigos que venho compartilhando gratuitamente na internet ao longo de todos estes anos. Os testemunhos são inúmeros!

O método que você está prestes a descobrir e implementar tem o objetivo de levá-lo à melhor forma da sua vida reconstruindo uma saúde blindada, além de lhe dar liberdade alimentar, paz mental e habilidade de ajustar tudo de acordo com os objetivos específicos que possa ter, seja emagrecimento, seja manutenção do peso, seja ganho de massa muscular.

Agora, falando em liberdade...

Liberdade e flexibilidade

Imagine que você tenha se comprometido a começar uma dieta para emagrecer na segunda-feira, porém na quinta-feira você recebe um convite especial da sua melhor amiga que acabou de ficar noiva e quer celebrar com você em uma pizzaria. O que você faria? Diria que sim e magoaria a você mesmo ou diria que não e magoaria a amiga? Decisão difícil...

No entanto, quero lhe mostrar que existe uma terceira opção: não magoar ninguém.

Nossa rotina é cheia de imprevistos e está mais dinâmica do que nunca, não tem escapatória. Por mais que tentemos controlar as variáveis ao redor, jamais conseguiremos nos blindar de mudanças e imprevistos, e isso nem mesmo seria ideal, em minha opinião. A vida acontece, e mudanças são necessárias.

Por isso, diferentemente do velho conceito de dieta, um estilo de vida saudável como o da Alimentação Forte precisa obrigatoriamente ser fundamentado em flexibilidade, e há vários anos tenho enfatizado isso e sugerido esquemas como o 80/20, 90/10 ou 95/5.

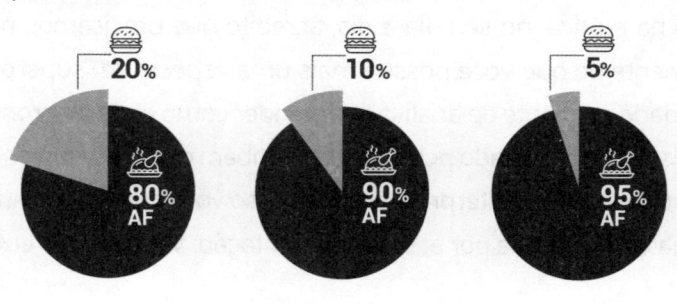

Esses esquemas de flexibilidade têm base na premissa de que você é o que você faz na maior parte do tempo, ou seja, você é resultado dos seus hábitos rotineiros e não das exceções. Funciona da seguinte forma:

No esquema 90/10, por exemplo, você se dedica a seguir os melhores hábitos que pode durante 90% do tempo, enquanto ainda se permite uma flexibilidade de "sair da linha" nos outros 10% do tempo, caso queira. O equivalente acontece no esquema 80/20, o qual é ainda mais flexível, e no 95/5, que é menos flexível. Você é o que você faz na maior parte do tempo!

Na prática, seguir o formato 90/10 de flexibilidade pode significar, por exemplo, que se você faz três refeições ao dia, ou seja, um total de 21 refeições na semana, você teria possibilidade e liberdade de "pisar na bola" como quiser em duas delas, sem grandes impactos negativos, como no jantar de sábado e no almoço de domingo. No esquema 80/20, seriam quatro refeições de flexibilidade na semana, e no 95/5, uma refeição.

Você pode também entender isso de forma diferente. Por exemplo, se você sai de férias por algumas semanas, pode usufruir dessa flexibilidade como quiser, afinal, quando você voltar, vai saber exatamente o que fazer para retomar seu estilo de vida. Nada na vida é 100%!

Isso não significa que você necessariamente precisa usar essa flexibilidade, mas ter a tranquilidade de saber que ela existe. Quanto maior seu comprometimento e menores as exceções, maiores os benefícios. Esses esquemas de flexibilidade lhe dão maior liberdade alimentar e podem ser utilizados como você bem entender. É assim que se constrói um novo estilo alimentar, fazendo o melhor que você pode, na maior parte do tempo.

Agora, antes de vermos os três pilares que formam o estilo de vida da Alimentação Forte e mais adiante como, de fato, você pode viver esse estilo de vida na prática, no seu dia a dia, acredito que precisamos nos certificar rapidamente de que você possua mais uma espécie de "superpoder", que é a habilidade confiante de analisar e entender como cada macronutriente dos alimentos é metabolizado pelo corpo, e também como os rótulos de informações nutricionais são interpretados. Com isso você poderá se imunizar contra muita balela que é dita por aí sobre alimentação. Vamos em frente?

Michelle Godoy (11 quilos eliminados)

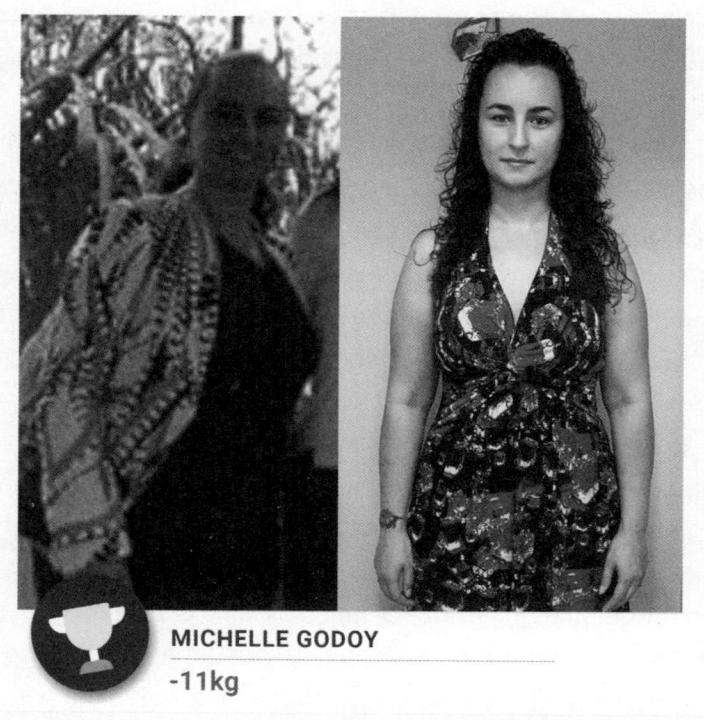

MICHELLE GODOY
-11kg

A Mika é outro caso de sucesso que também levou a família toda para a Alimentação Forte, incluindo não só os dois filhos e o marido, como a irmã e o cunhado, que se animaram ao ver os resultados conseguidos por ela.

Michelle confessa que era "magrela" até seus 13, 14 anos, quando o corpo começou a mudar, trazendo consigo a facilidade enorme em ganhar peso que até então não existia. Aos 15 anos já estava sentada no consultório de um endocrinologista, que a encheu de remédios para emagrecimento e uma dieta extremamente restritiva. Passando mal — com náuseas, tonturas — e morrendo de fome, eliminou 7 quilos em um mês e passou seu aniversário de debutante magrinha e feliz. Mas isso durou pouco tempo.

Não suportava mais o sacrifício, abandonou tudo e não só recuperou o peso perdido, como ainda ganhou outros de quebra. Daí em diante a briga só piorou, com um acréscimo ainda maior e transformado em compulsão alimentar, ansiedade que se multiplicava e infelicidade que dominava seu dia a dia... o seu ser.

Dieta da sopa, da proteína... nada parecia funcionar, e Mika ganhava uma nova amiga: a depressão, que fez aquela "menina" franzina de 1,65 metro chegar aos 89 quilos. Isso quando teve coragem de se pesar, pois confessa que deve ter pesado muito mais que isso. Reclusa e aficionada pelos chats on-line, conheceu uma psicóloga e encontrou novos caminhos para sua vida.

Começou de novo uma reeducação alimentar por conta própria (mas seguindo as recomendações que o endocrinologista havia passado anteriormente), conseguiu resultados, porém mais uma vez foi vencida pelo fracasso.

Entrou na terapia, tinha a autoestima no chão e achava que tudo era sua culpa. Ela começou a se acostumar até com a ideia que morreria gorda, pois era uma fracassada. Mas olhar para os filhos e pensar no futuro e na saúde deles, depois de perder a mãe para um câncer, a fez repensar e iniciar sua nova vida.

Com a cabeça no lugar e aceitando os percalços cotidianos, foi sua atual psicóloga que a incentivou a conhecer o programa Código Emagrecer De Vez. Inicialmente descrente, porém curiosa, ela abriu a mente e resolveu apostar. E não se arrependeu. Começou a ler o material e a ouvir os *podcasts*, mas o medo de falhar era tanto que demorou quase um ano estudando, e realmente entendendo, para resolver que queria colocar o programa em prática. Ela diz ter sido a melhor atitude a tomar, pois quando resolveu mergulhar de cabeça já tinha muitas dúvidas sanadas e um conhecimento suficiente para se virar.

Começou a fazer uma Alimentação Forte baixa em carboidratos com todos achando que havia ficado meio doida, pois pouquíssimas pessoas sabem que a gordura não é a vilã! A maioria acha que ninguém pode viver sem comer arroz, feijão, pão, comida industrializada... aquela besteirada toda que gente esclarecida já conhece.

Hoje, muito mais satisfeita em ter seguido por esse caminho, deixou para trás 11 quilos, se alimenta muito melhor que antes e com itens realmente deliciosos, nada sem sal, sem gosto, como pregam as dietas convencionais. A enxaqueca, que era diária, acabou. Os remédios para gastrite, companheiros havia mais de vinte anos, foram embora, e os elogios pelo sucesso chegam cada vez com mais intensidade.

7.
MACRONUTRIENTES

A gora que vimos as bases da Alimentação Forte, a diferença entre alimentos de verdade e substâncias comestíveis e a necessidade de flexibilidade em um estilo alimentar duradouro, chegou a hora de entendermos como cada macronutriente é metabolizado pelo corpo e o impacto disso nos nossos objetivos de saúde e boa forma. Isso é entendimento, isso é liberdade alimentar!

Cada alimento existente na face da Terra é constituído de três macronutrientes que definem de forma geral sua composição. São eles: proteína, gordura e carboidrato, ou seja, cada alimento que você ingere, seja ele um alimento de verdade como um pedaço de carne, uma batata-doce ou uma folha de alface, seja ele uma substância comestível como um pão francês ou um refrigerante, será constituído de certa proporção desses três macronutrientes (existem também os micronutrientes — vitaminas e minerais —, que definem mais detalhadamente o valor nutritivo desses alimentos em si, e serão vistos mais adiante).

Embora você já deva ter ouvido falar bastante em proteína, gordura e carboidrato, as chances são grandes de que muito disso esteja simplesmente incorreto ou de que seja até mesmo o completo oposto da verdade.

Primeiro, vamos relembrar que é uma grande falácia acreditar que todas as calorias são iguais, ou seja, acreditar que 100 calorias de pão são iguais a 100 calorias de bacon, e que 100 calorias de batata são iguais a 100 calorias de manteiga. Esses alimentos se diferenciam de forma drástica em termos de constituição de macronutrientes e, como consequência, têm impactos metabólicos completamente distintos no corpo.

De forma geral, apesar de dois alimentos poderem conter o mesmo valor energético, um deles pode levar você a armazenar gordura de forma acelerada enquanto o outro pode favorecer a sua queima. Com esse conhecimento, você ficará mais perto de entender como avaliar a "qualidade" de cada alimento e mais confiante acerca do fato de que a quantidade ingerida é secundária à qualidade escolhida.

Em breve veremos mais sobre as famosas tabelas nutricionais que estão estampadas em cada alimento e suas armadilhas.

Gordura

No início deste livro, derrubamos com evidências científicas um dos mitos mais antigos e resistentes da nutrição: o de que as gorduras naturais (incluindo as saturadas) fazem mal à saúde, mostrando que, pelo contrário, elas são inofensivas e até necessárias.

Isso já de cara nos dá mais liberdade alimentar e possibilidades saborosas, mas agora é hora de você entender rapidamente como esse macronutriente tão importante é metabolizado pelo corpo e o impacto que ele pode ter nos seus objetivos de saúde e boa forma.

Como você deve imaginar, assim como as calorias, as gorduras também não são todas iguais.

Veja alguns exemplos de fontes de gordura natural:

- Gordura animal em geral, presente nas carnes de todos os tipos, em peixes gordurosos como salmão, por exemplo;
- Frutas como abacate, coco, açaí etc;
- Nozes, amêndoas, castanhas e sementes;

- Laticínios integrais e derivados (queijos gordurosos e manteiga);
- Ovos;
- Azeite de oliva;
- Óleos (de coco, abacate etc.).

Apesar da grande variedade de gorduras que encontramos por aí, o mais importante é sabermos que elas basicamente se dividem em dois grupos: naturais e industriais.

Assim como no caso dos alimentos de verdade e das substâncias comestíveis, há poucas décadas fazer essa distinção seria completamente desnecessário, afinal, tudo que existia eram gorduras naturais, as mesmas que sempre foram usadas por nós, seres humanos, ao longo de toda a nossa evolução até a geração de nossos avós.

As gorduras naturais são aquelas que ocorrem naturalmente nos alimentos, como a gordura nas carnes vermelhas, nos peixes, nas nozes e castanhas, no leite materno, no abacate etc. Essas gorduras estão embutidas de forma natural nos alimentos e podem também ser obtidas sem complicações, como no caso do azeite de oliva, cujo processo de extração consiste simplesmente na prensagem de azeitonas. Temos feito isso já há milhares de anos sem problemas. O mesmo se estende a manteiga, banha de porco, óleo de coco etc.

Agora, mais recentemente, devido a uma série de fatores como estudos malconduzidos, má interpretação, politicagem, incompetência, egos e interesses diversos, muitas dessas gorduras naturais, principalmente as ricas em gorduras saturadas e colesterol, começaram a ser condenadas por nutricionistas, médicos e até mesmo governos com suas diretrizes alimentares, gerando um medo generalizado na população.

Com essa demonização errônea, injusta e não embasada dessas gorduras naturais que nos alimentaram por milênios a fio, a indústria começou a ser pressionada a criar alternativas "mais saudáveis", e, com isso, começaram a surgir as gorduras industriais (artificiais e ultraprocessadas), como os notórios óleos vegetais, margarinas, gorduras trans etc. A partir daí tudo começou a ir ladeira abaixo rapidamente.

Exemplos de óleos e gordura industrial:

- Margarina e gorduras hidrogenadas em geral;
- Gorduras trans;
- Óleo de milho, canola, girassol, soja, algodão etc.

Ao contrário dos óleos e gorduras naturais que são extraídos de forma simples de alimentos naturalmente ricos em gorduras, essas opções industriais precisam passar por um longo e complexo processo mecânico e químico para serem extraídas. O resultado disso são substâncias tóxicas.

Considere, por exemplo, que as gorduras trans, as quais hoje têm a fama que merecem, se tornaram mais populares[66] a partir de 1911, com a comercialização do Crisco pela gigante alimentícia Procter & Gamble, e, apesar de em 1956 já terem existido estudos apontando que esse tipo de gordura poderia estar causando sérios problemas à saúde das pessoas, seu consumo continuou a aumentar. Foi somente muitas décadas depois, acredite, em 2015, nos Estados Unidos, que foi criada uma lei que deu um prazo de três anos para que essa gordura parasse de ser usada pela indústria. No Brasil, inspirado pelos Estados Unidos, o Projeto de Lei do Senado 478/2015[67] foi criado com o mesmo propósito. Esse Projeto de Lei já foi aprovado pela Comissão de Assuntos Sociais e ainda espera aprovação final pela Câmara de Deputados. Sim, isso em 2018!

Em outras palavras, veja a seriedade da questão: as gorduras trans, que foram criadas e popularizadas no início do século XX e logo depois reconhecidas por serem danosas à saúde humana com um acúmulo contínuo de evidências, estão ainda hoje, em 2018, portanto mais de cem anos depois, presentes nos mercados como ingrediente de milhares de alimentos consumidos pela população.

---

66. Trans fats. Wikipedia. Disponível em: <https://en.wikipedia.org/wiki/Trans_fat#History>. Acesso em: 5 fev. 2018.

67. Senado Federal. Disponível em: <http://www25.senado.leg.br/web/atividade/materias/-/materia/122314>. Acesso em: 5 fev. 2018.

Minha pergunta é: o que será de você se colocar sua saúde nas mãos das diretrizes e recomendações oficiais de saúde? Se você não tomar as rédeas do seu destino e tomar suas próprias decisões, você vai estar frito, e provavelmente em óleo vegetal.

Hoje o consumo doméstico e industrial de óleos vegetais no Brasil e no mundo é altíssimo e não parece ter previsão de cair, mesmo com o nosso conhecimento científico, de longa data, de que eles também são danosos e pró-inflamatórios. Óleos vegetais como óleo de milho, canola, girassol, soja só são possíveis com um processo industrial de refinamento complexo, que faz uso de solventes químicos, processos de desodorização e desnaturalização, que deixam qualquer um coçando a cabeça.

O maior ensaio clínico randomizado[68] (com alto nível de evidência) já publicado, que comparou a substituição de gorduras naturais por gorduras industriais — nesse caso, a manteiga pelo óleo de milho —, mostrou que o grupo de pessoas do óleo de milho passou a morrer com maior frequência também a ter mais placas arteriais.

Enquanto as gorduras naturais são e sempre foram bem-vindas à nossa saúde, e não há absolutamente nenhuma evidência concreta de que elas são nada além de benéficas ao corpo, a mesma coisa não pode ser dita acerca das gorduras industriais.

Existe um corpo robusto de evidências mostrando de forma incontestável os malefícios associados ao consumo de gorduras industriais e óleos vegetais, notoriamente sua ação pró-inflamatória, e nós sabemos que inflamação está relacionada com os mais diversos tipos de doenças, como aterosclerose e até cegueira!

A popularização dos óleos vegetais e o aumento no consumo de carboidratos ultrarrefinados e nutricionalmente pobres são talvez os dois maiores fatores que contribuíram (e ainda contribuem) para a alarmante crise de obesidade e doenças metabólicas que vemos hoje. Óleos

---

68. Re-evaluation of the traditional diet-heart hypothesis: analysis of recovered data from Minnesota Coronary Experiment (1968-73). Disponível em: <www.bmj.com/content/353/bmj.i1246>. Acesso em: 28 jun. 2018.

vegetais são substâncias comestíveis da pior qualidade, e na realidade não deveriam nem ser comestíveis.

Só agora, depois de entendermos essa distinção crucial entre veneno e saúde, ou seja, entre gorduras naturais e gorduras industriais, podemos focar em entender como as gorduras naturais são metabolizadas pelo corpo, afinal, elas são as únicas que podem ser consideradas, de fato, alimentos.

Um dos principais fatos que você precisa ter em mente sobre gorduras é que elas praticamente não estimulam a insulina no sangue. Como vimos em capítulos anteriores, isso pode ser uma boa notícia, tendo em vista que altos e constantes estímulos desse hormônio promovem a resistência à insulina, favorecendo o armazenamento de gordura e bloqueando sua queima.

Outro fato interessante sobre gorduras é que elas são densas fontes de energia e saciantes, isto é, quando você consome alimentos naturalmente ricos em gorduras, você tende a ficar com sua fome controlada por muito mais tempo, não mais ficando escravo de lanches a cada três horas, por exemplo. Não é à toa que as gorduras sempre foram altamente valorizadas por povos antigos.

Além disso, em se tratando de micronutrientes, dependemos do consumo dos chamados ácidos graxos essenciais, ou seja, nosso corpo precisa obrigatoriamente de gorduras para ser saudável. Enquanto o corpo tem a habilidade de sintetizar alguns ácidos graxos, dois em particular — o ácido linoleico (um ômega 6) e o ácido alfa-linoleico (um ômega 3) — precisam vir da alimentação.

No que diz respeito ao impacto metabólico e insulínico dos alimentos, as gorduras também são benéficas no sentido de que elas "desaceleram" a quebra e a absorção de carboidrato, favorecendo uma digestão mais controlada e sem picos exagerados. Em outras palavras, o consumo de gorduras naturais concomitantemente com outros alimentos pode colaborar para a redução do índice glicêmico desses últimos.

Para finalizar, veja outro fato interessante. A gordura é o macronutriente mais calórico de todos, contendo 9 calorias por grama, enquanto o carboidrato e a proteína contêm 4 calorias por grama. Por esse motivo, muitos profissionais infelizmente condenam o consumo de gorduras naturais por achar que elas promoverão mais o ganho de peso, quando na verdade acontece o completo oposto. Apesar de proverem 9 calorias por grama, as gorduras provêm também saciedade, e pela forma como são metabolizadas pelo corpo, não contribuem particularmente para o ganho de peso.

Em suma, gorduras naturais (não industriais) são absolutamente necessárias para nossa saúde, nos provêm nutrientes, saciedade, sabor e, aliadas a uma alimentação correta, favorecem o emagrecimento, além de nos ajudarem a promover o correto funcionamento hormonal e metabólico do corpo. O estilo de vida da Alimentação Forte tira proveito das gorduras naturais, e você vai entender mais sobre isso na prática nos próximos capítulos.

Proteína

A proteína é o macronutriente construtor do corpo, absolutamente essencial para a vida humana e sempre valorizada por todos os povos e animais. Formada por seus componentes menores, os aminoácidos, ela está envolvida na construção de uma gama de organelas, tecidos e músculos.

Assim como precisamos obrigatoriamente ingerir os ácidos graxos essenciais no caso das gorduras, também é necessário ingerir os aminoácidos essenciais no caso das proteínas. As gorduras e as proteínas são os únicos macronutrientes essenciais ao corpo humano (isso mesmo, carboidratos não são!).

Quando um alimento é considerado uma fonte completa de proteínas, como ovo e carnes, por exemplo, entende-se que esse alimento possui todos os aminoácidos necessários para o corpo em quantidades significativas, ao passo que um alimento que não é uma fonte completa de proteína, como ervilha, feijão, trigo etc., não possui todos os aminoácidos essenciais em quantidade que faça a diferença.

Agora, assim como vimos no caso das gorduras naturais e industriais, nossos engenhosos avanços tecnológicos recentes também nos forçam a fazer uma distinção entre as fontes proteicas, ao passo que hoje em dia temos produtos como proteína texturizada de soja, proteína isolada de ervilhas, de arroz etc.

Outro fator importante sobre proteína é o que chamamos de valor biológico. Quando um alimento é considerado uma fonte de proteína de alto valor biológico, como o ovo, entendemos que a grande maioria dos aminoácidos contidos nesse alimento pode de fato ser absorvida facilmente e utilizada pelo corpo, ao passo que alimentos que são fonte de proteínas de baixo valor biológico, como feijões, contém aminoácidos que não serão absorvidos e utilizados pelo organismo.

Logo, além de visualizar a quantidade de proteínas que um alimento tem na sua tabela nutricional, é importante também considerar se essas proteínas são completas e se são de fato úteis ao corpo (possíveis de serem absorvidas), caso contrário são basicamente inúteis.

A boa notícia é que a maior parte dos alimentos de verdade de origem animal é uma ótima fonte de proteínas, tanto completas quanto de alto valor biológico, enquanto a maioria dos alimentos de origem vegetal tende a não ser nem um nem outro.

Alguns exemplos de ótimas fontes naturais de proteína são:

- Carnes de todos os tipos (bovina, de peixe, frango etc.);
- Frutos do mar;
- Ovos;
- Laticínios integrais e derivados.

Historicamente, e ainda hoje, essas excelentes fontes de proteína tendem a ser as mais caras e valorizadas por praticamente toda cultura do globo, devido à sua importância.

Outro fato interessante sobre o consumo de proteína é que, conforme já documentado em vários estudos que comparam diversas dietas alimentares, nós tendemos a consumir espontaneamente uma quantidade

adequada delas, mesmo em dietas distintas na constituição de macronutrientes. Nosso corpo sabe o que faz!

Em se tratando do efeito insulínico, as proteínas estimulam esse
hormônio de forma variada. Por exemplo, peixe branco e laticínios estimulam mais a insulina do que carne de porco ou carne vermelha, ou
seja, esses alimentos possuem índice insulínico diferente. No entanto, é
importante enfatizar que, em relação a proteína de qualidade, essa ação
insulínica é crucialmente importante e equilibrada com a ação do hormônio oposto à insulina, o glucagon, logo, seu impacto em termos de ganho
de gordura é secundário e praticamente irrelevante.

Diferentemente do que acontece com o carboidrato, como veremos
a seguir, a ação da insulina na metabolização da proteína promoverá saciedade e construção de tecidos, e não mero acúmulo de gordura.

Agora, em referência a mitos nutricionais, as proteínas também têm direito à sua parte na coleção, e o mais notório talvez seja a preocupação com o
ácido úrico e a saúde renal. No entanto, felizmente para nós, ambos já foram
derrubados cientificamente[69] e não são nada além disso: mitos.

Em resumo, as proteínas são necessárias para a construção de uma
infinidade de tecidos, músculos e organelas no corpo, e os alimentos que
são ótimas fontes de proteínas também são ótimas fontes de nutrientes
valiosos. As proteínas inerentemente não são promotoras do acúmulo de
gordura, mas sim de saciedade e bem-estar.

A Alimentação Forte, claro, preza pela priorização de alimentos nutritivos, fonte de proteínas de alto valor biológico.

Carboidrato

É hora de falarmos sobre os famosos carboidratos. Antes de mais nada,
porém, é importante já tirarmos um assunto do caminho: ao contrário do
que vimos sobre as gorduras e seus ácidos graxos essenciais e sobre as

---

69. Artigos disponíveis em: <http://acrabstracts.org/abstract/high-protein-diet-atkins-diet-and-uric-
acid-response/> e <www.ncbi.nlm.nih.gov/pmc/articles/PMC1262767/>. Acessos em: 28 jun. 2018.

proteínas e seus aminoácidos essenciais, os quais precisamos obrigatoriamente consumir para nossa sobrevivência, no caso dos carboidratos não existem os essenciais, ou seja, carboidratos não são indispensáveis à vida humana, e o pouco de glicose que o corpo precisa pode ser facilmente fabricado por ele próprio.

Desde a criação da dieta Atkins pelo cardiologista americano Robert Atkins, ainda nos anos 1960 e publicada em seu primeiro livro em 1972, a palavra carboidrato começou a ser tornar um termo cada vez mais popular e contraditório, ainda mais depois da popularização de filosofias como a paleolítica, *low carb* e cetogênica. No entanto, não há nada de contraditório em termos de carboidratos ao entendermos que, de forma geral, eles são primordialmente fonte de energia e não de nutrição, ainda que muitos deles sejam razoavelmente nutritivos.

Veja alguns exemplos de alimentos que são primordialmente fontes de carboidratos:

- Frutas e sucos;
- Farináceos em geral (massas, pães, biscoitos e afins);
- Arroz, trigo, centeio, feijão e grãos em geral;
- Açúcar, mel, doces e sobremesas;
- Bebidas adoçadas, como refrigerantes, chás doces, etc;
- Tubérculos em geral (batata, mandioca, abóbora, taro e afins);
- Legumes como cenoura, beterraba etc.
- Folhas em geral.

No caso de folhas e legumes fibrosos, note que, apesar de as fibras serem consideradas carboidratos, elas não são digeridas de fato pelo corpo (apenas fermentadas pela flora intestinal), e os *sugar alcohols*, como os contidos em adoçantes naturais do tipo xilitol e eritritol, também são considerados carboidratos, apesar de não serem, ou serem pouco, absorvidos pelo corpo.

Agora, como não poderia ser diferente aqui, os carboidratos não são todos iguais, ao passo que fontes naturais de carboidratos sempre existiram e nunca causaram grandes problemas, como tubérculos, folhas, frutas e legumes. Hoje, a maior oferta disponível de carboidratos é na forma de substâncias comestíveis baratas de se fabricarem e subsidiadas pelos governos. Esse é um dos motivos de nossa alimentação moderna ser extremamente exagerada no consumo desse macronutriente, distanciando-se da nossa dieta tradicional tanto em quantidade como em qualidade.

A maior parte das substâncias comestíveis que encontramos atualmente é uma variedade quase infinita de carboidratos de rápida absorção e extremamente pobres em nutrientes, como os refinados, processados e modificados. São itens como pães diversos com farinhas enriquecidas, doces, chocolates açucarados, bebidas adoçadas, massas, molhos doces, comidas prontas, cereais matinais, biscoitos, produtos sem glúten (muitos dos quais são carboidratos em sua essência) etc.

Até mesmo as frutas que vemos à venda hoje nos mercados não mais se assemelham às frutas selvagens originais. Aliás, até animais de zoológico adoecem ao serem alimentados com frutas modernas, verdadeiras sobremesas doces, ao passo que nunca tiveram problemas com as frutas selvagens. Quem já colheu uma maçã no pé no meio do mato sabe que elas são pequenas, "feias" e azedas. O mesmo acontece com outras frutas, como laranjas, bergamotas, mirtilos etc., e também com muitos legumes.

No momento em que passamos a nos distanciar do consumo de carboidratos tradicionais e nos aproximar do consumo de carboidratos refinados e processados, os problemas logo começaram a aparecer. Para piorar a situação, os governos passaram a subsidiar a produção de grãos e derivados, tornando o preço bastante acessível. Como exemplo temos, obviamente, o trigo, a soja, o centeio e outros, como milho, arroz etc.

Agora, veja o seguinte, quando a gordura natural dos alimentos começou a ser demonizada na metade do século XX, conforme vimos, algo precisava ser feito. Se a gordura, um dos três macronutrientes que compõem nossa dieta, começou a ser condenada, e sabendo que as proteínas sempre foram caras e difíceis de se comer em excesso, só sobrou para os carboidratos tomarem o lugar, afinal, ao reduzirmos o consumo de gordura, precisamos repor essas calorias com algo, certo?

A indústria seguiu como planejado, reduzindo as gorduras nos alimentos e aumentando o uso de açúcar e amido, ao mesmo tempo que o consumo de carnes começou a diminuir e o de grãos a ser incentivado.

A moral da história é que um monte de má ciência, más interpretações e interesses políticos diversos acabaram dando origem às primeiras diretrizes alimentares oficiais em grande escala para a população na década de 1970, divulgadas por um país, os Estados Unidos, como brilhantemente documentado no livro *Por que engordamos e o que fazer para evitar?*, de Gary Taubes.

Essas diretrizes alimentares acabaram por influenciar o mundo inteiro, até mesmo o Brasil, e delas saíram "teorias" como a fatídica pirâmide alimentar, que ficou vigente por décadas e ainda está tatuada no cérebro de muita gente, incluindo profissionais da saúde. A pirâmide alimentar está tão errada que muitos defendem que o exato oposto dela seria o mais adequado.

Um dos vários grandes problemas com a pirâmide alimentar e as diretrizes alimentares governamentais no geral é que elas incentivam que a base da alimentação da população seja constituída dos alimentos mais pobres em nutrientes de todos, ou seja, carboidratos provindos principalmente de grãos (pães, massas etc.). Isso é tanto uma péssima ideia hoje quanto já era uma péssima ideia há mais de mil anos, conforme vimos quando a população dos egípcios antigos se alimentou dessa forma e pagou o preço, tendo altos níveis de obesidade, doenças e problemas cardíacos.

Um ponto muito importante que quero enfatizar é que não podemos condenar um grupo de macronutrientes inteiro, como os carboidratos. Afinal, eles estiveram presentes nas dietas tradicionais de muitos povos extremamente saudáveis. Carboidratos em si não são o problema; carboidratos ruins são o problema.

É crucial que se entenda a diferença entre carboidratos naturais e mais nutritivos e carboidratos refinados, processados e pouco nutritivos. Exemplos dos primeiros são folhas, legumes, tubérculos e frutas selvagens, os quais nunca provocaram obesidade e doenças em ninguém. Já os carboidratos refinados e processados, como pães, massas, açúcar e afins, têm esculhambado o metabolismo e o sistema hormonal de milhões de pessoas, e isso não é segredo para ninguém.

Note que, uma vez que uma pessoa está obesa e sofrendo de resistência à insulina, está basicamente sofrendo de uma intolerância a carboidrato, afinal, lembre-se de que carboidrato vira glicose na corrente sanguínea, e essa glicose estimula a ação da insulina. Portanto, se você já sofre com um quadro de resistência à insulina, também é resistente a carboidrato por definição. Consequentemente, se você se encontra nesse estado, todos os carboidratos, independente do tipo (exceto os fibrosos, como folhas e legumes de baixo índice glicêmico), tenderão a atrapalhar ainda mais sua situação.

Em outras palavras, um carboidrato natural como a batata-doce assada pode ser perfeitamente bem-vindo a uma pessoa saudável e em forma, enquanto, por outro lado, pode colaborar para a piora dos problemas em uma pessoa que já está acima do peso e resistente à insulina. É por esse e outros motivos que as dietas baixas em carboidratos (*low carb*) são tão potentes em ajudar as pessoas a emagrecer e melhorar seus marcadores de saúde, enquanto as dietas baixas em gorduras continuam a mostrar resultados medíocres em comparação com elas.[70]

Considere o ensaio clínico randomizado,[71] publicado no *Jornal de Endocrinologia Clínica e Metabolismo* ainda em 2003, que comparou dois grupos de mulheres ao longo de seis meses. O primeiro grupo fa-

---

70. Twelve-month outcomes of a randomized trial of a moderate-carbohydrate versus very low-carbohydrate diet in overweight adults with type 2 diabetes mellitus or prediabetes. Disponível em: <www.nature.com/articles/s41387-017-0006-9.pdf>. Acesso em: 28 jun. 2018.

71. A randomized trial comparing a very low carbohydrate diet and a calorie-restricted low fat diet on body weight and cardiovascular risk factors in healthy women. Disponível em: <https://academic.oup.com/jcem/article/88/4/1617/2845298>. Acesso em: 28 jun. 2018.

ria uma dieta tradicional baixa em gordura (no máximo 30% da dieta) e restrita em caloria, enquanto o segundo grupo faria uma dieta baixa em carboidrato e sem nenhum controle calórico, ou seja, em regime *ad libitum* no qual se poderia comer à vontade. O que eles observaram no final do estudo foi que o grupo que seguiu a dieta baixa em carboidrato perdeu mais que o dobro de peso (8,5 quilos em vez de 3,9 quilos) e também mais que o dobro de gordura corporal (4,8 quilos em vez de 2 quilos), sem nem mesmo contar calorias.

Nós poderíamos ficar aqui por horas listando estudos que mostram as grandes vantagens de atacar o problema central da obesidade, ou seja, o consumo exagerado de carboidratos de má qualidade, em vez de focar em se reduzirem as calorias e as gorduras. Quando digo horas não estou exagerando, pois o corpo de evidências é avassalador e só não vê quem não quer.[72]

Com isso, não há dúvidas de que uma estratégia alimentar mais baixa em carboidrato, pelo menos no início, conduzida de forma correta e até mesmo sem restrição calórica alguma, é significativamente superior às dietas tradicionais de redução calórica e baixa gordura. Esse é um fato cientifico incontestável.

Veremos mais adiante como uma Alimentação Forte baixa em carboidrato pode ser feita na prática. Por enquanto, acho importante que você entenda os principais fundamentos por trás de tudo, afinal, informação é poder e é crucial para que você obtenha uma verdadeira e duradoura liberdade alimentar.

Por último, vamos ver algo interessante e que é pouco falado por ai. Quer saber qual a forma mais rápida possível de acumular gordura em excesso? É consumindo rotineiramente alimentos que são ricos tanto em gordura como em carboidrato ao mesmo tempo, ou seja, alimentos constituídos de proporções semelhantes desses dois

---

72. Randomised controlled trials comparing low-carb diets of less than 130g carbohydrate per day to low-fat diets of less than 35% fat of total calories. Disponivel em: <https://phcuk.org/rcts/>. Acesso em: 6 fev. 2018.

macronutrientes, como batata frita, sorvete, pizza, donut, brownie, churro, pastel, coxinha, macarrão com queijo etc. Isso acontece devido ao mecanismo fisiológico do corpo de inibição da oxidação de ácidos graxos por glicose.[73]

Posta de forma simples, a ideia é que o corpo precisa priorizar a metabolização da glicose quando ela está disponível na corrente sanguínea, e isso não quer dizer de forma alguma que o corpo "prefere" glicose, pois na verdade ele simplesmente precisa lidar com ela antes para evitar toxicidade (glicose em excesso no sangue é problemática). Então, quando você consome carboidrato e gordura juntos, o corpo precisa dar destino primeiro ao carboidrato e, enquanto faz isso, direciona rapidamente a gordura para armazenamento.

Lembra que vimos anteriormente que a insulina promove o armazenamento de gordura ao mesmo tempo que bloqueia sua queima? Logo, se você consome um alimento que contenha 200 calorias de carboidrato e 200 calorias de gordura, essas 200 calorias de gordura serão rapidamente direcionadas para armazenamento, ao passo que as 200 calorias de carboidrato serão priorizadas e direcionadas ou para células que precisam dessa energia no momento, ou para seus adipócitos, para uso posterior.

Em resumo, comer alimentos ricos em carboidrato e gordura ao mesmo tempo turbinará seu ganho de peso. E quer saber o que é mais interessante? A natureza já sabia disso, e é justamente por isso que não existe nenhum alimento natural que tenha essa combinação perigosa de carboidrato (açúcar ou amido) e gordura. As frutas, por exemplo, são doces, porém praticamente não contêm gordura. O abacate, uma fruta também, é rico em gordura, porém basicamente não tem açúcar. Tubérculos são ricos em amido e baixíssimos em gordura. Nozes são ricas em gordura e baixíssimas em amido. É incrível, mas parece realmente que a natureza sabe o que faz.

---

73. The Randle cycle revisited: a new head for an old hat. Disponível em: <www.ncbi.nlm.nih.gov/pmc/articles/PMC2739696/figure/f5/>. Acesso em: 28 jun. 2018.

Agora, enquanto a natureza já nos protegeu não criando esses alimentos que engordam, a indústria não teve esse cuidado e logo descobriu que nós simplesmente adoramos o gosto de doce e gordura juntos, e nos oferece uma infinita variedade de substâncias comestíveis desse tipo. No entanto, a situação é ainda mais grave, pois as gorduras usadas são óleos vegetais tipicamente pró-inflamatórios e os carboidratos são açúcares ou amido simples.

Aliás, essa mesma estratégia é usada por algumas empresas[74] para induzir obesidade e diabetes rapidamente em animais de laboratório, com rações que são altas em gordura e carboidrato ao mesmo tempo. Com isso em mente, poderíamos montar com facilidade uma listinha de alguns dos alimentos que mais engordam.

Aliás, fiz isso recentemente quando postei no meu canal do YouTube ("Emagrecer De Vez") um vídeo listando 11 alimentos que contribuem ao extremo para o ganho de peso. Note que todos eles são substâncias comestíveis:

- Sorvete;
- Brigadeiro;
- Brownie;
- Chocolate ao leite;
- Donut;
- Churro (e outras frituras doces como bolinhos, sonho etc.);
- Batata frita e chips;
- Macarrão com queijo (*mac and cheese*);
- Pasta de amendoim doce;
- Cookie.

Não é difícil entender por que a humanidade começou a ganhar tanto peso e adoecer tão rapidamente depois que nos distanciamos cada vez mais dos alimentos de verdade, ricos em nutrientes, e nos aproximamos das substâncias comestíveis pobres em nutrientes e tóxicas, não é verdade?

---

74. Envigo Rodent Diets. Disponível em: <www.envigo.com/products-services/teklad/laboratory-animal-diets/custom-research/diet-induced-obesity/>. Acesso em: 6 fev. 2018.

Tabelas nutricionais

Como vimos, cada alimento é constituído de proporções diferentes de apenas três macronutrientes, que são gordura, proteína e carboidrato. Isso significa também que alguns alimentos podem ser primordialmente uma fonte de carboidrato, proteína ou gordura, e isso definirá como ele será metabolizado pelo corpo.

Agora, vamos entrar um pouco no mundo das tabelas nutricionais para que você, a partir de hoje, saiba identificar com confiança a composição dos alimentos que compra e possa fazer as melhores escolhas de acordo com seus objetivos específicos. Relaxe, respire fundo, abra sua mente e vamos em frente.

Veja a seguir, por exemplo, a tabela nutricional dos brócolis.

Informação Nutricional
Brócolis
Quantidade Por 100 gramas
Calorias 34
Gorduras Totais 0,4 g
Gorduras Saturadas 0 g
Gorduras Poliinsaturadas 0 g
Gorduras Monoinsaturadas 0 g
Colesterol 0 mg
Sódio 33 mg
Potássio 316 mg
Carboidratos 7 g
Fibra Alimentar 2,6 g
Açúcar 1,7 g
Proteínas 2,8 g

Vejamos que, conforme a tabela, uma porção de 100 gramas de brócolis contém:

- 0,4 grama de gorduras;
- 2,8 gramas de proteínas;
- 7 gramas de carboidratos.

Logo, de acordo com sua constituição de macronutrientes, sabemos que os brócolis são predominantemente um carboidrato e que contêm um pouco de proteína e basicamente nenhuma gordura. Nesse ponto, talvez algumas perguntas surjam, e uma delas pode ser: "Se o total de proteína, gordura e carboidrato em uma porção de 100 gramas de brócolis é 10,2 gramas, onde está o restante dos 90 gramas do peso?".

Ótima pergunta. Bem, geralmente o resto do peso que não é listado na tabela é oriundo de compostos não nutritivos, como água.

Em alimentos de verdade, tipicamente, o maior peso deles vem de água, então é legal manter isso em mente para não cair em armadilhas como achar que, por exemplo, 100 gramas de peito de frango equivale a 100 gramas de proteína. Não, 100 gramas de peito de frango possuem aproximadamente 30 gramas de proteína, o resto do peso em sua maior parte é água.

Outra pergunta que também pode ser feita é a seguinte: "A tabela dos brócolis mostra que os carboidratos totais são 7 gramas. No entanto, ao somar a fibra alimentar e o açúcar listados, temos 4,3 gramas no total. Onde estão os outros 2,7 gramas restantes?".

Essa pergunta é ainda melhor. Enquanto proteína e gordura podem ser medidos com exatidão nos alimentos, a quantidade de carboidrato não é tão facilmente medida. Carboidratos em si, assim como definidos pelo dicionário *Oxford*,[75] são um "grupo grande de componentes orgânicos que ocorrem nos alimentos e tecidos vivos e que incluem açúcares, amido e celulose".

Em outras palavras, podemos entender que carboidratos podem ser divididos em monossacarídeos (açúcares), polissacarídeos (carboidratos "complexos", como amido etc.) e fibras. Os governos em geral não exigem que todas as categorias de carboidratos sejam listadas, mas somente as

---

75. Disponível em: <https://en.oxforddictionaries.com/definition/carbohydrate>. Acesso em: 5 fev. 2018.

mais comuns, como "açúcares" e "fibras", por exemplo. Logo, respondendo à pergunta, a diferença entre os "carboidratos totais" e o total de fibras somado aos açúcares na tabela dos brócolis está em "outros" carboidratos/polissacarídeos que não foram listados.

Em termos gerais, ao se analisarem carboidratos no rótulo de um alimento, quanto maior for a diferença entre "açúcares" e "carboidratos totais", melhor esse alimento tenderá a ser e mais controlado tenderá a ser seu impacto glicêmico e insulínico. Isso em parte porque os açúcares simples (monossacarídeos) são digeridos muito rapidamente pelo corpo, afinal, têm uma estrutura molecular muito simples, enquanto os polissacarídeos (carboidratos "complexos") precisam ser quebrados em moléculas menores antes de serem absorvidos.

Vejamos, por exemplo, a tabela a seguir referente ao suco de maçã:

Informação Nutricional
Suco de maçã
Quantidade Por 100 gramas
Calorias 48
Gorduras Totais 0,1 g
Gorduras Saturadas 0 g
Gorduras Poliinsaturadas 0 g
Gorduras Monoinsaturadas 0 g
Colesterol 0 mg
Sódio 4 mg
Potássio 101 mg
Carboidratos 11 g
Fibra Alimentar 0,2 g
Açúcar 10 g
Proteínas 0,1 g

Ao bater o olho na tabela, vemos rapidamente que o suco de maçã é composto de:

- 0,1 grama de gorduras;

- 0,1 grama de proteínas;
- 11 gramas de carboidratos.

Veja que a diferença entre carboidratos totais (11 gramas) e açúcares (10 gramas) é de apenas um grama, ou seja, em outras palavras, o suco de maçã é basicamente açúcar puro. O restante do peso é água.

Em contraste, vejamos agora a tabela nutricional da batata-doce assada:

Informação Nutricional
Batata-doce, assada

Quantidade Por 100 gramas	
Calorias 90	
Gorduras Totais 0,2 g	
Gorduras Saturadas 0 g	
Gorduras Poliinsaturadas 0,1 g	
Gorduras Monoinsaturadas 0 g	
Colesterol 0 mg	
Sódio 36 mg	
Potássio 475 mg	
Carboidratos 21 g	
Fibra Alimentar 3,3 g	
Açúcar 8 g	
Proteínas 2 g	

Ao olhar rapidamente, vemos que 100 gramas de batata-doce assada contêm:

- 0,2 grama de gorduras;
- 2 gramas de proteínas;
- 21 gramas de carboidratos.

Concluímos de imediato que esse alimento é primordialmente um carboidrato, devido à quantidade pequena dos outros dois macronutrientes, gorduras e proteínas. Agora, vemos que os carboidratos totais são 21 gramas, sendo que apenas 6 gramas deles são de açúcares e

3,3 gramas, de fibras. O restante dos carboidratos (11,7 gramas) não estão listados e são polissacarídeos (carboidratos complexos), como amido. Note que a diferença entre carboidratos totais (21 gramas) e açúcares (6 gramas) é bastante grande, e esse é um ponto positivo, apesar de os carboidratos totais ainda serem razoavelmente elevados.

Enquanto essa análise é mais simples no caso de alimentos de verdade, a situação fica rapidamente mais confusa quando analisamos a composição de substâncias comestíveis, ou seja, de produtos industrializados, comidas prontas, refinados, processados etc.

Isso acontece porque outros compostos que são essencialmente carboidratos, como gomas, *sugar alcohols*, aditivos industriais diversos etc., podem estar contidos nos alimentos, mas não estarão listados, ou seja, a diferença entre "carboidratos totais" e açúcares e fibras nesses alimentos pode incluir compostos "obscuros", que não os polissacarídeos naturais dos alimentos de verdade. Fica o alerta.

Considere a tabela nutricional de um cereal açucarado matinal típico:

Informação Nutricional Cereal açucarado
Quantidade Por 100 gramas
Calorias 369
Gorduras Totais 1,7 g
Gorduras Saturadas 0,5 g
Gorduras Poliinsaturadas 0,7 g
Gorduras Monoinsaturadas 0,3 g
Colesterol 0 mg
Sódio 468 mg
Potássio 76 mg
Carboidratos 89 g
Fibra Alimentar 2,2 g
Açúcar 35 g
Proteínas 4 g

De cara vemos que 100 gramas de cereal açucarado possuem:

- 1,7 grama de gorduras;
- 4 gramas de proteínas;
- 89 gramas de carboidratos.

Concluímos que cereal açucarado é um carboidrato em sua essência. Aliás, por praticamente não conter água, a concentração de carboidrato é excepcionalmente mais alta do que qualquer alimento de verdade.

Vemos que 100 gramas dessa substância comestível possuem apenas 2,2 gramas de fibras e gritantes 35 gramas de açúcares. O restante dos carboidratos vem de carboidratos complexos não listados. São mais de 80 gramas de carboidratos, sendo 35 gramas deles na forma de puro açúcar nesse "alimento" que gerará um terrível "soco" insulínico no sangue, o que, como vimos neste livro até aqui, irá rapidamente colocar o corpo em estado de armazenamento de gordura, sem contar outros fatores negativos, como a ação pró-inflamatória disso.

Considere agora a tabela nutricional de ovos de galinha cozidos, um dos alimentos mais nutritivos que existem:

Informação Nutricional Ovo, cozido			
Quantidade Por 100 gramas			
Calorias 155			
Gorduras Totais 11 g			
Gorduras Saturadas 3,3 g			
Gorduras Poliinsaturadas 1,4 g			
Gorduras Monoinsaturadas 4,1 g			
Colesterol 373 mg			
Sódio 124 mg			
Potássio 126 mg			
Carboidratos 1,1 g			
Fibra Alimentar 0 g			
Açúcar 1,1 g			
Proteínas 13 g			
Vitamina A	520 IU	Vitamina C	0 mg
Cálcio	50 mg	Ferro	1,2 mg
Vitamina D	87 IU	Vitamina B6	0,1 mg
Vitamina B12	1,1µg	Magnésio	10 mg

Rapidamente vemos que 100 gramas de ovos de galinha cozidos contêm:

- 11 gramas de gorduras;
- 13 gramas de proteínas;
- 1,1 grama de carboidratos.

Esse alimento é primordialmente uma proteína se considerarmos o peso, porém contendo quase a mesma proporção de gordura. No entanto, muitas vezes é melhor fazermos essa análise em relação ao valor energético do alimento e não ao peso.

Em nível de comparação, se considerarmos 100 gramas de cereal açucarado, como vimos anteriormente, e analisarmos os macronutrientes em relação ao valor energético, nada muda, pelo contrário: fica ainda mais drástica a comparação, na qual 100 gramas de cereal açucarado equivalem a 369 calorias, das quais exageradas 356 calorias são de puro carboidrato da pior qualidade.

Por último, considere a tabela nutricional do bacon frito na frigideira:

| **Informação Nutricional** |
| Bacon, frito na frigideira |
| **Quantidade Por** 100 gramas |
| **Calorias** 541 |
| **Gorduras Totais** 42 g |
| Gorduras Saturadas 14 g |
| Gorduras Poliinsaturadas 4,5 g |
| Gorduras Monoinsaturadas 19 g |
| **Colesterol** 110 mg |
| **Sódio** 1 717 mg |
| **Potássio** 565 mg |
| **Carboidratos** 1,4 g |
| Fibra Alimentar 0 g |
| Açúcar 0 g |
| **Proteínas** 37 g |

Rapidamente batemos o olho e vimos que 100 gramas de bacon são constituídos de:

- 42 gramas de gorduras;
- 37 gramas de proteínas;
- 1,4 grama de carboidratos.

Podemos concluir que o bacon é primordialmente uma fonte de gorduras quando consideramos o peso e também o valor energético dos macronutrientes, tendo uma proporção considerável de proteína e uma quantidade insignificante de carboidrato. Agora, vale lembrar que essa composição pode variar consideravelmente de acordo com o tipo do bacon e também os tipos de aditivos e açúcares usados na cura dele.

Lembre-se, cada macronutriente tem um impacto diferente no metabolismo e no sistema hormonal, uns levando você ao armazenamento de gordura e outros ajudando na queima dela. É crucial que você saiba o que cada alimento é, analisando sua composição, assim você pode escolher os que irão ajudá-lo e não atrapalhá-lo.

Combinando os alimentos com flexibilidade

Antes de partirmos para os três pilares que formam o estilo de vida da Alimentação Forte, vamos dar uma olhada rápida em quão adaptável ele pode ser, de acordo com suas necessidades particulares.

Lembrando, o princípio base da Alimentação Forte é basear sua dieta alimentar no consumo de alimentos de verdade nutritivos e limitar ao máximo o consumo de substâncias comestíveis. Vimos ainda que esse estilo alimentar possibilita uma grande flexibilidade para você adaptá-lo à sua rotina, como os esquemas 80/20, 90/10 e 95/5 que vimos anteriormente.

Perceba que não existe limite ou recomendação geral quanto à composição de macronutrientes (carboidrato, gordura e proteína) nessa filosofia, e isso é de propósito. Isso visa dar a você liberdade alimentar de poder ajustar a Alimentação Forte de acordo com seus objetivos do momento. Ou seja, é possível que você faça uma Alimentação Forte bem baixa em carboidrato (cetogênica), reduzida em carboidrato e alta em gordura (*low carb high fat*), moderada em carboidrato (paleolítica) ou até alta em carboidrato e mais baixa em gordura, caso seus objetivos requeiram isso.

De posse do conhecimento da fisiologia do emagrecimento e do ganho de peso que está adquirindo, você estará apto a escolher adequadamente o tipo de Alimentação Forte que mais se alinha com seu objetivo. O importante é manter em mente que essas variações sempre respeitarão os fundamentos da filosofia. Logo, imagine a filosofia da Alimentação Forte como sendo um guarda-chuva que abriga debaixo de seu princípio básico (de alimentos de verdade em vez de substâncias comestíveis) todas essas possibilidades de variações de macronutrientes, como *low carb*, cetogênica, paleolítica, *gluten-free*, sem lactose, FODMAPS (em português: fermentáveis, oligossacarídeos, dissacarídeos, monossacarídeos e polióis) etc.

Manter o princípio básico da Alimentação Forte em mente é crucial para não cair em armadilhas comuns, como ler sobre dietas *low carb* e achar que todos os alimentos baixos em carboidrato são igualmente bem-vindos. Por exemplo, óleo vegetal é *low carb*, porém é uma substância comestível e prejudicará sua saúde. Embutidos processados são *low carb*, no entanto muitas vezes contêm ingredientes químicos que também farão mal à sua saúde.

Outras pessoas podem ler sobre dietas sem glúten por aí e começar a achar que qualquer alimento que não contenha glúten é bem-vindo à dieta. Esse é um erro grave, uma vez que a grande maioria das alternativas a esse tipo de alimento é igualmente (ou mais) lotada de carboidratos simples e pouco nutritivos, o que irá emperrar seu processo.

Há não muito tempo fui ao maior evento paleolítico do mundo, o Paleo f(x) em Austin, no Texas, e vi que dezenas ou centenas de empresas estão criando produtos cada vez mais manipulados e processados e estampando a marca "paleo" no rótulo. Isso também pode ser uma armadilha quando levado longe demais.

Se você segue a filosofia da Alimentação Forte, você se protege desses "rótulos" e armadilhas, uma vez que sabe que seu fundamento são os alimentos de verdade. Ela funciona como uma espécie de cinto de segurança que o protege dos malabarismos da indústria e das dietas de todos os tipos, mantendo seus pés no chão, sua saúde em ordem, e possibilitando que você faça quaisquer ajustes necessários sem se prejudicar.

Enquanto veremos mais adiante como fazer essas adaptações na prática, como montar seu prato de Alimentação Forte, como ir às compras e estruturar sua semana de acordo, veja alguns exemplos de refeições que tive durante minha última viagem no sudeste da Ásia e que elucidam o quão flexível, saboroso, adaptável e libertador é o estilo alimentar da Alimentação Forte.

Um prato de espetinhos de carne com legumes variados. Prático, fácil, barato e nutritivo, esse é um exemplo de prato de Alimentação Forte naturalmente baixo em carboidrato.

Toucinho de porco à pururuca com legumes. Prato delicioso e exemplo de uma Alimentação Forte bem baixa em carboidrato (cetogênica).

Frango assado e ensopado com arroz. Esse prato mamak que degustei na Malásia é exemplo de uma Alimentação Forte mais alta em carboidrato.

Frango ao molho de curry amarelo com legumes e ervas, acompanhado de uma porção de arroz branco. Este é mais um exemplo de prato de Alimentação Forte alta em carboidrato que degustei no Camboja.

Omelete simples com bacon e legumes picados. Quentinha e com uma manteiga por cima é uma delícia, além de ser um exemplo de uma Alimentação Forte cetogênica e nutritiva (bem baixa em carboidrato).

Ensopado de carne com temperos, típico no Vietnã, é um exemplo de um prato de Alimentação Forte bastante baixo em carboidrato e rico em nutrientes.

Sobremesa com jaca, arroz, coco fresco e ge-leia natural de morango sem adição de açúcar. Sobremesas não precisam ser tóxicas, processa-das, refinadas e cheias de açúcar. Nesse exemplo, embora bem alta em carboidrato, temos uma sobremesa que segue a filosofia da Alimentação Forte em pelo menos 90% e que poderia fazer parte das suas exceções sem grandes problemas.

Alguns outros poucos exemplos simples de pratos que tenho degustado nos últimos tempos em casa e fora:

→ Hamburger 100% carne com bacon e queijo azul (acompanhe como preferir, legumes ou salada). Exemplo de uma Alimentação Forte baixa em carboidratos, rica em gorduras e nutrientes.

→ Asinhas de frango feitas na banha de porco ou forno e acompanhadas de talos de cenoura e salsão. Delicioso exemplo de Alimentação Forte baixa em carboidratos e alta em sabor!

→ Bisteca ao molho de cogumelos acompanhada por aspargos na manteiga e pimentões grelhados. É sempre muito fácil achar pratos neste estilo em restaurantes. Isso é Alimentação Forte!

→ Carne de panela desmanchando com molho marrom servida sobre uma concha de purê de batatas e acompanhada de vagens verdes. Este é mais um exemplo de Alimentação Forte mais generosa em carboidratos.

Ainda, assados, peixes grelhados, pizzas de couve-flor, costelinhas de porco, frutos do mar, churrasco, etc. As opções são muitas e estes exemplos são somente como a ponta do iceberg. Este é um universo de sabores e possibilidades que você agora poderá começar a explorar e se deliciar.

Uma menção rápida ao arroz. O arroz, grão este que tem sido consumido por milhares de anos por várias culturas tradicionalmente reconhecidas pela longevidade e boa forma, sobretudo na Ásia, é um exemplo de carboidrato simples de rápida absorção que não tende a ser tóxico a um organismo saudável. No entanto, se considerarmos também que a Alimentação Forte prioriza os alimentos mais nutritivos, como veremos em breve, o arroz não formaria a base de seu prato, já que é basicamente uma fonte de energia bastante pobre em nutrientes em si e que poderia ser facilmente substituída.

É importante também lembrar que qualquer carboidrato, principalmente os de rápida absorção e pobres em nutrientes (arroz, farinhas, trigos, pães, massas etc.), tenderá a atrapalhar os objetivos de quem está querendo perder peso e resolver um estado de resistência à insulina. No entanto, se o seu objetivo é apenas manter o peso ou ganhar massa muscular, por exemplo, você pode adaptar a composição de macronutrientes de acordo com sua preferência. Vamos ver sugestões disso mais adiante.

Isso é liberdade alimentar combinada com boa informação para embasar boas decisões.

8.

OS TRÊS PILARES DE SEU NOVO ESTILO DE VIDA

"O QUE É LIBERDADE? É O PODER DE VIVER COMO SE DESEJA."
MARCO TÚLIO CÍCERO

Quando estava desenvolvendo a metodologia para meu programa de emagrecimento Código Emagrecer De Vez, passei semanas a fio torrando neurônios sem parar, pensando sobre todas as minhas pesquisas ao longo dos anos a fim de chegar em algo que resumisse, em poucos fundamentos poderosos, o que mais gera benefícios em termos de emagrecimento e saúde.

Eu estava tentando encontrar uma sinergia perfeita entre o poder dos mais avançados achados científicos na área de nutrição e emagrecimento, e também a flexibilidade dos princípios básicos de bem-estar e estilo de vida. Algo que pudesse guiar as pessoas a curto prazo com foco no emagrecimento, mas também a longo prazo como forma de se viver priorizando saúde, vitalidade e boa forma.

Enfim, muito café, chá e bacon depois, cheguei aos três pilares centrais que fundamentam tanto meu programa Código Emagrecer De Vez como também o estilo de vida em si que estou propondo neste livro, conforme imagem na próxima página.

Os três pilares são a Alimentação Forte, a densidade nutricional e o jejum intermitente.

Perceba que, como simbolizado pelas flechas, na próxima página, cada um dos pilares interage com os demais, ou seja, qualquer modificação em um deles afetará os outros de forma positiva ou negativa. Na verdade, é assim que tudo funciona também no corpo, certo?

Apesar de a medicina moderna tentar dividir o corpo em especialidades isoladas, tudo é interconectado, e o "efeito borboleta" é tão verdadeiro no corpo quanto em qualquer lugar. Nosso organismo é um sistema biológico integrado no qual nada acontece de forma isolada. Até mesmo hoje, depois de séculos de estudos, ainda se descobre mais e mais sobre esse aspecto de interconexão,como a conexão direta entre o intestino e o cérebro.

Vamos entender agora um pouco mais sobre como esses três pilares de fato se traduzem em um estilo alimentar.

1º pilar — Alimentação Forte

Não poderia ser diferente: o primeiro pilar do estilo de vida libertador, adaptável, saboroso e flexível da Alimentação Forte é a própria Alimentação Forte.

Vamos aproveitar para relembrar rapidamente alguns de seus fundamentos básicos:

- O princípio da Alimentação Forte é a priorização do consumo de alimentos de verdade e a limitação do consumo de substâncias comestíveis;
- A Alimentação Forte prioriza os alimentos de maior valor nutricional, justamente porque só um corpo saudável e bem nutrido emagrecerá de forma correta e se manterá em forma depois com vitalidade;
- A Alimentação Forte pode ser adaptada perfeitamente a seus objetivos, sejam eles de ganho de massa, emagrecimento, ou manutenção de peso. Ela também pode variar de muitas formas em termos da composição de macronutrientes;
- Você pode escolher fazer uma Alimentação Forte cetogênica, baixa em carboidrato, moderada em carboidrato, paleolítica, alta em carboidrato etc., de acordo com seus objetivos, uma vez que se atenha aos princípios. No entanto, uma Alimentação Forte mais baixa em carboidrato é, segundo o corpo de evidências disponível, a forma mais eficiente e eficaz de emagrecer e tratar a síndrome metabólica, além de ser também aquela com a qual estamos evolutivamente mais adaptados a nos alimentar.

É isso! A base de qualquer novo estilo de vida saudável precisa ser a alimentação, e aqui você está navegando em calmos mares com o uso da Alimentação Forte.

2º pilar — Densidade nutricional

Esse é um pilar crítico de ser entendido nesse estilo de vida e pode ter grande impacto nos resultados que você verá em seu corpo e sua saúde, tanto a curto quanto a longo prazo.

Há pouco falamos sobre os três macronutrientes (proteína, gordura e carboidrato) e também, de forma breve, sobre a definição de micronutrientes. Micronutrientes são simplesmente as vitaminas e os minerais contidos nos alimentos. São eles que definem, basicamente, o quão nutritivo é cada alimento.

Para fins didáticos, imagine que todos os macronutrientes sejam essencialmente constituídos de energia e micronutrientes. Se tirarmos os micronutrientes dos macronutrientes, o que mais sobra é energia. Logo, é a concentração de micronutrientes nos macronutrientes de um alimento que definirá o quão nutritivo ele é.

Um bom exemplo disso é a farinha de trigo. Essa é uma "substância comestível" ultraprocessada rica em energia e extremamente pobre em micronutrientes, a ponto de as indústrias precisarem "enriquecê-la" com vitaminas e minerais sintéticos. O arroz branco é outro exemplo de alimento que é basicamente puro carboidrato (amido, ou seja, energia) e pobre em nutrientes. Ambos são más fontes de nutrição.

Se um alimento contém mais vitaminas e minerais que outro, podemos dizer que esse alimento é mais nutritivo, isto é, que tem maior valor nutricional. No entanto, mantenha em mente que não é porque os micronutrientes estão presentes no alimento que eles necessariamente serão absorvidos pelo corpo.

Muitos alimentos de origem vegetal, como grãos, feijões, soja etc., possuem muitos micronutrientes que jamais serão absorvidos pelo corpo e ainda podem conter antinutrientes, compostos esses que poderão bloquear a absorção até de nutrientes de outros alimentos consumidos. Ou seja, o verdadeiro valor nutricional de um alimento é resultado da quantidade de micronutrientes que de fato pode ser utilizada pelo corpo, caso contrário, eles são inúteis.

No que diz respeito ao valor nutricional dos alimentos, é importante também levarmos em consideração a quantidade (peso) deles para podermos comparar um com o outro de acordo com a densidade nutricional, que é basicamente a quantidade de micronutrientes (vitaminas e minerais) de um alimento dividida pelo seu peso.

Por exemplo, se formos comparar a densidade nutricional do arroz branco cozido com a dos brócolis crus em termos de dois micronutrientes específicos (minerais), como o magnésio e o cálcio, faremos o seguinte:

Consultamos a tabela nutricional do arroz cozido e verificamos que 100 gramas do alimento possuem 10 miligramas de cálcio e 12 miligramas de magnésio, enquanto 100 gramas de brócolis crus contêm 47 miligramas de cálcio e 21 miligramas de magnésio.

Isso significa que, ao compararmos o mesmo peso desses dois alimentos em relação a esses dois micronutrientes, concluimos que os brócolis crus são bem mais nutritivos que o arroz cozido, de forma que teríamos que consumir quase 500 gramas de arroz para obtermos a mesma quantidade de cálcio presente em apenas 100 gramas de brócolis, e quase 200 gramas de arroz, no caso do magnésio.

Para podermos comparar de fato o valor nutricional dos alimentos, de forma que possamos priorizar os mais nutritivos sem ficarmos necessariamente pensando nas quantidades de cada um, usamos o conceito de densidade nutricional, que é simplesmente a quantidade de micronutrientes que um alimento tem por peso.

Nesse exemplo, em se tratando dos minerais magnésio e cálcio, vemos que 100 gramas de brócolis contêm esses minerais em quantidade bem superior a 100 gramas de arroz cozido, ou seja, como os brócolis possuem mais micronutrientes por peso, eles têm maior densidade nutricional do que o arroz cozido.

A fórmula da densidade nutricional é muito simples:

QUANTIDADE DE MICRONUTRIENTES

÷

PESO DO ALIMENTO

Agora você pode perguntar: "Por que isso é importante, afinal?".

Bem, fique tranquilo que você não precisará sair calculando absolutamente nada, pois irei lhe contar já quais são os alimentos mais nutritivos. No entanto, acho importante que entenda o porquê por trás de tudo, certo? Além do mais, isso é importante justamente porque o valor nutricional da nossa alimentação definirá o quão saudáveis (e em forma) nós somos.

Saúde significa vitalidade, imunidade, bem-estar, boa forma, bom humor, positividade, energia e longevidade. Essas qualidades que todos almejam não são conquistadas colocando foco na quantidade de sua alimentação ou em quão pesada é sua rotina de exercícios, mas sim na qualidade da sua alimentação, em quão nutritiva ela é. E, no caso do emagrecimento, lembre-se: não é preciso emagrecer para ficar saudável, e sim ficar saudável para emagrecer.

Para atingir quaisquer objetivos de boa forma, performance e saúde, você primeiro precisa focar em nutrição, em fornecer ao corpo tudo o que ele precisa para se curar, reconstruir, fortalecer e viver em alta performance. É por isso que a Alimentação Forte prioriza a densidade nutricional dos alimentos. Simples!

Então, quais são os alimentos mais nutritivos?

Embora você possa imaginar que essa deveria ser uma resposta simples e direta, a verdade está longe disso. Acredite, existem vários métodos e fórmulas que foram criados ao longo dos anos para tentar responder a essa pergunta, e muitos deles têm erros gritantes que impossibilitam seu uso. A verdade é que não existe um consenso ou uma fórmula universal para a densidade nutricional dos alimentos. No entanto, existe uma forma que julgo ser a melhor disponível no momento e que faz o maior sentido evolutivo. Lembre-se, quando em dúvida, sempre coloque o questionamento em perspectiva evolutiva para se manter sóbrio e com os pés no chão.

O método em questão[76] é do pesquisador americano Matthew Lalonde, que apresentou sua pesquisa no Ancestral Health Symposium de 2012, nos Estados Unidos. Ainda que o método não seja perfeito e também não leve em consideração a questão dos antinutrientes, o que Lalonde fez foi selecionar, de forma criteriosa e objetiva, o conjunto de micronutrientes mais essenciais e valiosos à saúde humana e usá-los para calcular a densidade nutricional de cada alimento.

76. Mat Lalonde nutrient density: sticking to the essentials AHS12. Disponível em: <www.youtube.com/watch?v=HwbY12qZcF4>. Acesso em: 7 fev. 2018.

No ranking de densidade nutricional de Lalonde vemos pontuações como estas a seguir, sendo que estão no topo as categorias de alimentos mais nutritivas e embaixo as menos nutritivas.[77]

- Carne de órgãos (fígado, coração, rim etc.) — 21,3
- Ervas e temperos — 12,3
- Nozes, amêndoas e sementes — 7,5
- Peixes e frutos do mar — 6,0
- Carnes em geral — 4,0 (em média)
- Legumes crus — 3,8
- Ovos e laticínios — 3,1
- Leguminosas (feijão e afins) — 2,3
- Legumes cozidos — 2,0
- Frutas — 1,5
- Grãos — 1,2
- Gorduras e óleos — 1,0

Ao olhar esse ranking, vemos claramente que as "pirâmides alimentares" nos receitam basicamente uma alimentação que prioriza alimentos pobres em nutrientes.

A Alimentação Forte é um estilo de vida que privilegia a densidade nutricional dos alimentos. Então vamos ver como podemos fazer isso na prática. Tudo se resume em você começar a optar conscientemente pelos alimentos mais nutritivos em vez dos menos nutritivos, dentro ou fora de suas categorias, e aqui você não precisa ser muito criterioso ou específico.

Por exemplo, ao montar um prato de Alimentação Forte, você sabe, olhando o ranking acima, que carnes, frutos do mar, ovos e legumes são muito mais nutritivos que frutas e grãos, como arroz, trigo, massas, farináceos etc. Logo, uma escolha inteligente (e nutritiva) poderia ser pegar

---

77. Você pode ter acesso a uma tabela completa com centenas de alimentos classificados segundo sua densidade nutricional e também seu "poder" de emagrecimento dentro do programa Código Emagrecer De Vez. Acesse em: <www.codigoemagrecerdevez.com.br>.

uma porção a mais de legumes na manteiga em vez de uma porção a mais de arroz branco, ou talvez um filé de peixe a mais em vez de macarrão.

Use esse conhecimento para lhe dar tanto liberdade alimentar quanto poder de atingir seus objetivos, afinal, você não precisa obrigatoriamente sempre escolher os alimentos mais nutritivos, o importante é saber quais são eles para que possa decidir. Revise essas categorias para ter uma boa ideia geral de quais tipos de alimentos podem ter prioridade em sua alimentação.

Gostaria que notasse também que todas as primeiras posições desse ranking estão tomadas por alimentos de verdade, enquanto as muitas substâncias comestíveis, como os grãos, são lanterninhas. Isso significa que, ao tomar a simples decisão de seguir o fundamento básico da Alimentação Forte, você já terá andado mais da metade do caminho rumo a uma maior densidade nutricional. Seu papel é, dentro desse cenário já muito bom, tentar torná-lo ainda melhor, priorizando os alimentos mais nutritivos dentre os que já são nutritivos.

As substâncias comestíveis, ou seja, os alimentos processados, refinados e modificados são inerentemente bem baixos em densidade nutricional e sempre tenderão a ser fracas escolhas.

Agora que você já entende que para alcançar resultados ainda mais incríveis de saúde e boa forma com esse estilo de vida você pode seguir a Alimentação Forte (primeiro pilar), priorizando ativamente a densidade nutricional dos alimentos (segundo pilar), é hora de mergulharmos no terceiro pilar. Já lhe adianto que ele não tem nada a ver com comida, mas com o oposto disso.

3º pilar — Jejum intermitente

Bem-vindo ao terceiro pilar do novo estilo de vida incrível que você está começando a construir: o jejum intermitente. Nessa parte, convido você a relaxar e respirar fundo comigo à medida que navegamos por esse assunto tão polêmico e que tem ganhado mais atenção recentemente.

Veremos conceitos e ideias que podem ser opostos ao que você tem escutado por aí, no entanto fique tranquilo, pois estamos munidos de boa ciência para nos embasarmos. Além do mais, esse assunto é mais um grande exemplo de como a nutrição é um campo minado de mitos e falsas ideias em que evidências científicas parecem não ter prioridade sobre ideologias pessoais e opiniões. Aliás, uma vez escutei uma analogia interessante que diz que, se a situação do ramo da engenharia espacial fosse como a da nutrição, eles estariam ainda tentando decidir se apontam o foguete para cima ou para baixo... Engraçado, porém, triste.

Bem, antes de mais nada vamos deixar uma informação bem clara: jejum não é algo novo e muito menos uma moda que surgiu por causa de celebridades.

Para descontrairmos, pense o seguinte: o que existia na face da Terra antes dos alimentos? A ausência de alimentos, certo? Ou seja, antes mesmo de existir comida neste mundo, já existia jejum, logo o hábito de não comer é algo tão natural quanto o de respirar. Já o jejum intermitente é simplesmente o hábito de se abster de alimentos de forma voluntária, por períodos determinados e descontínuos, só isso. Em outras palavras, praticar jejum intermitente significa pular algumas refeições de vez em quando, nada de mágico.

Em minha opinião, é crucial que voltemos a ficar alguns períodos sem nos alimentar no dia a dia (o que sempre fizemos naturalmente), para quebrarmos o terrível hábito que nos foi irresponsavelmente recomendado de deixar o corpo em permanente estado anabólico, nos alimentando a cada duas ou três horas.

Todos nós já praticamos jejum intermitente diariamente durante o sono sem nem mesmo pensarmos nisso. O que acontece entre sua última refeição do dia e sua primeira do dia seguinte é um período de jejum, compreendido em maior parte pelo período em que você dorme. O intervalo de tempo entre uma refeição e outra durante o dia também significa uma prática de jejum (ausência de comida). Logo, veja que a discussão aqui não é se jejum intermitente é algo natural ou não, se devemos fazê-lo ou não, afinal, já sabemos que é tão natural quanto andar para a frente e que todos nós já o praticamos de certa forma.

O que discutiremos são os benefícios potenciais de estendermos um pouco esses períodos de jejum voluntariamente. Nesse aspecto, já de início temos fortes pistas históricas de que esses benefícios são grandes e são usufruídos por nossa espécie há muito tempo. Existe uma frase famosa que foi supostamente escrita em hieróglifos nas pirâmides egípcias por volta de 3.800 a.C.: "Humanos vivem com um quarto do que comem, e nos outros três quartos vivem seus médicos", sugerindo a ideia de que o excesso é prejudicial e que precisamos de menos do que imaginamos.

Paracelso, considerado um dos três pais da medicina ocidental, ainda por volta da metade do século XV disse: "Jejum é o maior dos remédios — o médico dentro de cada um de nós". O grande filósofo Platão, por volta de 400 a.C., disse: "Eu faço jejum para maior eficiência mental e física". Hipócrates, antes da era cristã, já afirmava: "Nossa alimentação deveria ser o nosso remédio. Nosso remédio deveria ser a nossa alimentação. Porém, comer quando se está doente é alimentar a doença". O famoso escritor Mark Twain, no século XIX, disse: "Um pouco de jejum pode realmente fazer mais por um doente comum do que os melhores remédios e médicos".

Vemos ainda que toda grande religião existente no mundo possui, de uma forma ou de outra, sua própria variação da prática do jejum.

No Budismo é geralmente comum se comer apenas pela manhã, fazendo jejum até o dia seguinte. Gregos ortodoxos do Cristianismo podem fazer tipos diferentes de jejum por 180 a 200 dias ao ano. Os muçulmanos jejuam o dia inteiro, todos os dias, só comendo à noite (ou antes do nascer do sol) durante o mês inteiro do Ramadã, assim como o profeta Maomé incentivava a abstenção de refeições todas as segundas e quintas-feiras. O Catolicismo também prega a prática do jejum, mas quase ninguém segue essas diretrizes hoje em dia.

Novamente, jejum não é algo novo e seus benefícios já são conhecidos há muito tempo. Por isso, ele é o terceiro pilar que sustenta o novo estilo de vida da Alimentação Forte e está aqui para potencializar seus resultados.

No próximo capítulo, vamos mergulhar mais a fundo no fascinante mundo do jejum intermitente e ver em detalhes como ele pode ser aplicado corretamente na prática. Veremos também mais sobre seus incríveis e comprovados benefícios. Assim, você saberá mais sobre o assunto do que 99% das pessoas a seu redor, e o melhor: poderá usar desse poder incrível, simples e barato para turbinar sua boa forma e saúde. Combinado?

Aline Frezzolino (15 quilos eliminados)

...

ALINE FREZZOLINO

-15kg

Diretamente do estado que tem a maior efervescência pela alimentação de verdade e estilo de vida *low carb*, Aline Frezzolino é de Contagem, Minas Gerais, mãe do Arthur e do Guilherme, casada há dezessete anos com o Bruno, um dos grandes incentivadores e responsáveis por essa mudança em sua vida.

Administradora por formação, seu problema com a balança começou aos 18 anos e acarretou um sem-fim de dietas malucas, restritivas, infundadas... e o resultado disso tudo foi um efeito sanfona devastador, deixando a mineira de 1,80 metro ainda mais insatisfeita com o que via diariamente no espelho. Aos 27 anos, logo depois do nascimento de seu primeiro filho, atingiu seu menor peso desde os 18 anos, 78 quilos! Estava muito bem, mas de novo não foi possível manter os louros, e em setembro de 2014, pesando 103 quilos, foi apresentada à *low carb*, vertente *low carb high fat*.

Encantada com a premissa do que vinha a ser esse estilo de alimentação e mesmo sem muita informação, a seguiu por dez meses e eliminou 15 quilos. Porém, a falta de informação consistente a fez basear sua jornada na substituição por produto com adoçantes; comia pão de queijo na crença de que polvilho era uma melhor alternativa e ainda se nutria de três em três horas. Mais uma vez voltou a engordar.

Em junho de 2017, depois de recuperar quase 11 quilos dos quinze que diminuiu, conheceu o Código Emagrecer De Vez e entrou nessa empreitada. Ouviu vários *podcasts*, fez pesquisas na internet e mergulhou de cabeça no desafio, percebendo que mais importante que a perda de peso era a recuperação da saúde.

Aline diz ainda que a segunda fase é o aprendizado definitivo que o Código proporcionou a ela e que considera os jejuns intermitentes uma prática mágica. Ela agora entende o verdadeiro significado de uma Alimentação Forte, retomou o prazer por cozinhar e levou seus filhos para a cozinha com ela. Hoje, a mineira se exercita, fazendo musculação três vezes por semana, e pela primeira vez na vida sente-se segura para dizer que não é sedentária, e tem seu corpo sob controle.

Diz ainda que o grande diferencial desse programa não são as tabelas alimentares, as instruções e o conhecimento passados, e sim o fórum! "Todos torcemos uns pelos outros e nos ajudamos a manter o foco e nunca desistir, independente de qualquer coisa", revela.

Gratidão é o que a define. Mais saudável que nunca, hoje está segura de ter encontrado a solução definitiva para a sua vida.

9.
JEJUM INTERMITENTE

Uma das bobagens que mais me faz arrancar os cabelos hoje em dia é ouvir a recomendação tradicional de que todos nós precisamos nos alimentar de três em três horas ou até mais frequentemente. Se nós vivêssemos na época paleolítica e alguém viesse com essa sugestão, além de provocar risos convulsivos na turma, essa pessoa correria o risco de se tornar a refeição.

Em termos de sobrevivência, ou seja, evolutivamente falando, nunca fez e ainda não faz o menor sentido a ideia de que nós, seres humanos, precisemos nos alimentar com tanta frequência para sermos saudáveis. Aliás, comer com frequência tão alta só é possível de duas formas: se você come muito pouco a cada refeição ou se você tem uma alimentação pouco saciante e extremamente pobre em nutrientes.

Quando você se alimenta bem, com um belo prato de Alimentação Forte, você nota claramente que nem mesmo pensa em comida por várias horas. Lembro-me muito bem dos tempos em que eu comia e tinha fome de três em três horas e vejo o contraste agora quando janto em um dia, passo a manhã inteira seguinte sem comer e muitas vezes preciso me lembrar do almoço para não pulá-lo, ou quando almoço ao meio-dia e vou jantar somente às 20 horas sem me dar conta, tamanha a saciedade desse estilo alimentar. A diferença é como dia e noite. Quando você nutre seu corpo verdadeiramente, ele lhe beneficia com saciedade e bem-estar, assim como sempre foi.

É um fato bem conhecido que nós seres humanos (e também muitos animais) somos capazes de sobreviver bem até mesmo em períodos extremamente longos de jejum, afinal, esse é um mecanismo de sobrevivência que evoluiu conosco por milhares de anos. Nunca tivemos muito problema com o excesso de comida, como acontece atualmente, mas, ao contrário, sempre lutamos contra a falta.

Até mesmo nos dias de hoje vemos pessoas que fazem jejuns extremamente longos por motivos diversos sem grandes complicações, como Mahatma Gandhi, por exemplo, que fez dezessete jejuns durante sua luta a favor da independência da Índia, sendo que o mais longo foi de 21 dias consecutivos.[78]

Falando em jejuns longos, o recorde mundial de jejum pertence a um homem obeso que, cuidadosamente supervisionado, jejuou por inacreditáveis 382 dias seguidos. Isso está bem documentado em um estudo[79] de 1973.

O fato é que, nosso organismo conhece jejum e sabe lidar muito bem com isso. Agora, tenha em mente que, em se tratando do estilo de vida da Alimentação Forte, estaremos falando de jejum intermitente como estilo de vida, ou seja, muito diferente de ficar dias sem comer.

Como vimos anteriormente, na década de 1970 as pessoas costumavam fazer três refeições ao dia em média, ou seja, café da manhã, almoço e jantar, praticando um jejum de no mínimo doze horas ao dia automaticamente, ao passo que hoje, poucas décadas depois, essa média de refeições subiu para cinco ou mais ao dia, encurtando muito esses intervalos naturais sem comida. Parte da explicação é que a qualidade da alimentação também caiu muito ao longo desse período, isto é, ficamos menos saciados e menos nutridos.

Hoje, comemos cada vez mais tarde, acordamos cada vez mais cedo e passamos o dia inteiro fazendo "lanchinhos", praticamente não

78. HICKS, Cherril. The history of fasting. *The Telegraph*, 13 abril. 2015. Disponível em: <www.telegraph.co.uk/lifestyle/11524808/The-history-of-fasting.html>. Acesso em: 7 fev. 2018.

79. Features of a successful therapeutic fast of 382 days' duration. Disponível em: <www.ncbi.nlm.nih.gov/pmc/articles/PMC2495396/>. Acesso em: 28 jun. 2018.

existindo intervalos nos quais damos uma "folga" ao organismo. Nunca antes na história da humanidade comemos com tanta frequência e, da mesma forma, nunca antes estivemos tão pesados e sofrendo tanto com verdadeiras epidemias de doenças metabólicas.

Logo, ao trazermos à tona a prática correta do jejum intermitente, não estamos tentando implantar um novo hábito, mas sim retornar ao que naturalmente fazíamos há muito tempo.

Mas por que o jejum intermitente pode ser tão benéfico para nós que queremos viver uma vida longa, saudável e em forma e por que pode ser uma arma extremamente poderosa para quem quer emagrecer?

Resistência à insulina e emagrecimento

Já de início vemos que a prática correta do jejum intermitente nos ajuda a corrigir a maior causa do ganho peso e da síndrome metabólica: a resistência à insulina. É fácil de entender como isso acontece.

Conforme vimos no capítulo sobre resistência à insulina, ela se desenvolve com o tempo devido ao frequente excesso de insulina, que é produzida e jogada na corrente sanguínea, afinal, o que causa resistência a qualquer coisa são estímulos constantes e crescentes, não é? Por exemplo, sabemos que o excesso de antibióticos acaba criando resistência a eles, problema grave nos hospitais hoje em dia. O excesso de bebidas alcoólicas resulta em resistência a seus efeitos, bem como o das drogas etc. O que causa resistência a uma coisa é o excesso dela.

Esse excesso pode acontecer de três formas: através de grandes estímulos pontuais, de estímulos frequentes ou de grandes estímulos frequentes.

No caso da alimentação "moderna", a resistência à insulina tende a se desenvolver justamente porque comemos produtos errados com frequência excessiva. Por exemplo, ao se ter uma alimentação como a sugerida pela pirâmide alimentar, todos aqueles carboidratos ricos em energia e pobres em nutrientes em cada refeição irão superestimular a insulina no sangue, provocando uma enxurrada desse hormônio, causando um grande estímulo pontual. Para piorar, sentimos fome logo e, seguindo as diretrizes de se comer a cada três horas, comemos novamente, fazendo com que passemos o dia provocando picos insulínicos no sangue e nunca dando uma folga ao corpo.

O jejum intermitente entra justamente para atacar esse problema induzindo um espaçamento maior (e até espontâneo) entre as refeições, e, como consequência, dando uma "folga" metabólica maior ao organismo. Como o médico canadense especializado em reversão de diabetes, dr. Jason Fung, diz, "o jejum é a forma mais eficiente e eficaz de se baixar a insulina" (quando puder, assista à entrevista que fiz com o dr. Fung justamente sobre jejum intermitente. Ela está entre seus bônus deste livro. Entre em <http://estenaoemaisumlivrodedieta.com.br/brindes/> para acessá-los.

Agora, considere esse estudo,[80] publicado no *Jornal Americano de Nutrição Clínica* em 2000, que analisou 11 jovens saudáveis ao longo de quatro dias completos de jejum prolongado (esse tipo de jejum extralongo não é sugerido na Alimentação Forte).

Valores bioquímicos

	Dia 1	Dia 2	Dia 3	Dia 4
Norepinefrina (pmol/L)	1.716 ± 574	2.134 ± 1079	3.409 ± 1349[2,3]	3.728 ± 1636[2,3]
Epinefrina (pmol/L)	425 ± 180	311 ± 152	395 ± 158	398 ± 257
Insulina (pmol/L)	71 ± 21	71 ± 41	58 ± 19	59 ± 23
Glicose (mmol/L)	4,9 ± 0,5	3,9 ± 0,5[2]	3,6 ± 0,5[2,3]	3,5 ± 0,5[2,3]
Ácidos graxos (µmol/L)	240 ± 191	616 ± 225[2]	957 ± 443[2,3]	1.135 ± 575[2,3]

80. Resting energy expenditure in short-term starvation is increased as a result of an increase in serum norepinephrine. Disponível em: <www.ncbi.nlm.nih.gov/pubmed/10837292>. Acesso em: 28 jun. 2018.

Perceba na tabela que os níveis de insulina caíram de forma significativa ao longo do jejum, enquanto os níveis de ácidos graxos no sangue aumentaram muito. Ou seja, à medida que a insulina caiu, abriram-se as portas para a queima de gordura corporal, e isso não é surpresa já que, como vimos anteriormente, quando a insulina está agindo no sangue ela promove o armazenamento de gordura e bloqueia sua queima.

Estudos mostram que a prática correta de jejum intermitente é uma forma segura e eficaz para perda de peso[81] e que ela pode melhorar a sensibilidade à insulina.[82]

Agora, imagine como essa prática pode ter efeito ainda mais poderoso quando seguida em concomitância com a Alimentação Forte. Aliás, sugiro a ideia de que um jejum intermitente saudável e prazeroso de se fazer só é possível quando a prática da Alimentação Forte acontece em paralelo, já que passar tempo sem comer enquanto se tem uma dieta tóxica e nutricionalmente fraca é uma receita para o fracasso. Um corpo que jejua sem problemas é um corpo bem nutrido.

Porém, nem somente de perda de peso vive o homem, não é verdade?

Longevidade e imunidade

Como você pode imaginar, a prática do jejum intermitente possui benefícios que vão muito além da perda de peso e do restabelecimento da sensibilidade à insulina, e a humanidade de uma forma ou de outra sempre pareceu saber disso, mesmo sem provas científicas.

Em 2016, o japonês Yoshinori Ohsumi recebeu o Nobel de Medicina[83] justamente por seu incrível trabalho nos estudos de um mecanismo do corpo chamado de "autofagia". O mecanismo da autofagia,

---

81. Alternate-day fasting poses no threat to bone health. Disponível em: <www.medscape.com/viewarticle/870351?nlid=110192_2982&src=wnl_dne_161018_mscpedit&impID=1217261&faf=1?src=soc_tw_share>. Acesso em: 7 fev. 2018.

82. Effect of intermittent fasting and refeeding on insulin action in healthy men. Disponível em: <www.physiology.org/doi/abs/10.1152/japplphysiol.00683.2005>. Acesso em: 28 jun. 2018.

83. Prêmio Nobel de Medicina para o japonês Yoshinori Ohsumi. Disponível em: <www.nobelprize.org/nobel_prizes/medicine/laureates/2016/press.html>. Acesso em: 28 jun. 2018.

nome que vem do grego e significa literalmente "comer a si mesmo", consiste na habilidade das células de se otimizarem e reciclarem, fazendo uma "limpa" das organelas imperfeitas. Esse mecanismo é crucial para o funcionamento eficiente do corpo.

Como dito no próprio site oficial do Prêmio Nobel:

> Suas descobertas abriram caminho para o entendimento da importância fundamental da autofagia em muitos processos fisiológicos, como na adaptação à falta de comida ou resposta a infecções. [...] O processo de autofagia está envolvido em várias condições incluindo câncer e doenças neurológicas.

Essas novas revelações dão sentido às impressões que sempre tivemos de que a prática do jejum tem efeito antienvelhecimento e também de fortalecimento da nossa imunidade.

Ainda conforme dito no site do Prêmio Nobel:

> As células também podem usar da autofagia para eliminar proteínas e organelas danificadas, um mecanismo de controle de qualidade que é crítico para contra-atacar os efeitos negativos do envelhecimento. [...] A autofagia pode prover rapidamente energia e componentes de reconstrução para a renovação celular. [...] Depois de infecções, a autofagia pode eliminar as bactérias e os vírus invasores do interior das células.

Um subprocesso da autofagia é a "mitofagia", processo de reciclagem das mitocôndrias (as "usinas de energia" das células), em que mitocôndrias imperfeitas são recicladas a fim de obter um funcionamento geral mais eficiente dessas organelas tão importantes para a saúde metabólica.

E, em se tratando de longevidade, todos os mecanismos envolvidos ainda não estão claros, porém o mundo científico está desvendando cada vez mais, como nesse recente estudo,[84] conduzido em Harvard e publicado em 2017 no jornal *Cell Metabolism*, que mostrou que restrição calórica (jejum) promove uma otimização das redes mitocondriais no corpo, levando a um aumento de expectativa de vida em vermes. Sim, vermes, mas estudos semelhantes já foram conduzidos em outros animais. Conforme diz a pesquisadora líder desse mesmo estudo, Heather Weir, em artigo para Harvard,[85] "condições de baixa energia como restrição dietética e jejum intermitente têm mostrado promover um envelhecimento saudável". O pulo do gato aqui é que essa restrição calórica com o jejum em particular acontece de forma espontânea quando você pratica a Alimentação Forte. Isso é alimentação inteligente!

Há bons indícios de que o jejum intermitente promove tanto o fortalecimento da imunidade e um envelhecimento saudável como um possível aumento da expectativa de vida. Então, quem não gostaria de viver mais e com mais saúde utilizando um hábito que é simples, gratuito (aliás, economiza dinheiro) e pode ser feito em qualquer lugar? Esse é o jejum intermitente.

Por que não damos uma olhadinha em como essa prática pode ser aplicada no dia a dia, de acordo com o estilo de vida da Alimentação Forte?

Jejum intermitente como estilo de vida

Assim como todos os hábitos que cobrimos até agora, a Alimentação Forte e a priorização da densidade nutricional dos alimentos, a prática

84. Dietary restriction and ampk increase lifespan via mitochondrial network and peroxisome remodeling. Disponível em: <www.cell.com/cell-metabolism/fulltext/S1550-4131(17)30612-5>. Acesso em: 28 jun. 2018.

85. In pursuit of healthy aging. Disponível em: <https://news.harvard.edu/gazette/story/2017/11/intermittent-fasting-may-be-center-of-increasing-lifespan/>. Acesso em: 28 jun. 2018.

correta do jejum intermitente completa os três pilares desse estilo de vida e só será proveitosa a longo prazo caso se encaixe com perfeição no seu estilo de vida. Lembre-se: não tem nada de mágico ou miraculoso a respeito do jejum, afinal, estamos falando de simplesmente pular uma refeição aqui e ali, de forma estratégica.

Em relação a jejum intermitente, costumamos nos referir ao conceito de janela de alimentação. A janela de alimentação é simplesmente o período do dia dentro do qual você fará todas as refeições.

Se nos referimos a um protocolo de jejum do tipo 16 por 8 (um dos mais comuns), isso significa que faremos um jejum de dezesseis horas com uma janela de alimentação de oito horas. Em termos práticos, um protocolo de 16 por 8 se traduz, por exemplo, em fazer sua última refeição às 20 horas e sua primeira refeição do dia seguinte ao meio-dia, pulando o café da manhã. Logo, das 20 horas, quando você teve seu jantar, até o meio-dia do dia seguinte, incluindo o período de sono, você ficou dezesseis horas em jejum. Sua janela de alimentação será, portanto, entre o meio-dia e as 20 horas (oito horas no total).

É importante também notar que quando tratamos de jejum intermitente não existem regras, mas sim sugestões de protocolos para diferentes objetivos e situações, como 16 por 8, 14 por 10, 24 horas, 36 horas etc.

Um jejum de 24 horas, por exemplo, nada mais é do que você ir de um jantar a outro sem comer. Ou seja, jantando hoje e amanhã pulando todas as refeições durante o dia, só comendo novamente no jantar. Aliás, isso é surpreendentemente fácil de fazer quando se está adaptado a uma Alimentação Forte mais baixa em carboidrato, mas de nenhuma forma é obrigatório.

É importante salientar que não existe competição, e jejuns longos não são necessariamente mais benéficos que jejuns curtos. Eu, em particular, assim como muitos profissionais, não recomendo que você estenda um jejum além de 36 horas sem a cuidadosa orientação de um profissional.

Agora, em se tratando de jejum intermitente para emagrecimento, saúde e bem-estar geral, o mínimo do mínimo que faria sentido praticar seria um protocolo de doze horas, o qual na verdade quase nem se qualifica como jejum intermitente, mas seria pelo menos um retorno aos hábitos que sempre seguimos naturalmente até poucas décadas atrás, quando fazíamos apenas três refeições ao dia.

Um jejum de doze horas significa tipicamente um intervalo de doze horas entre seu jantar e o café da manhã, incluindo o sono. Como dito antes, não existem regras fixas. Tudo é adaptável segundo seu estilo de vida e seus objetivos específicos.

Em termos de frequência, o jejum intermitente pode ser praticado de várias formas: uma vez por semana, duas vezes, em dias alternados e até mesmo diariamente. Tudo depende dos protocolos usados, de seus objetivos e do seu estilo de vida!

Facilitando sua vida

Muita gente comete o grande erro de ler por aí sobre jejum intermitente, se animar e já começar a tentar aplicar no dia a dia sem antes ter implementado os outros dois pilares desse estilo de vida que estou apresentando. Ou seja, muitos tentam fazer jejum intermitente sem antes ter se adaptado por um tempo a uma Alimentação Forte com a priorização da densidade nutricional dos alimentos.

Esse é um erro grave porque, ao estar acima do peso, alimentando-se de forma incorreta e ainda com provável resistência à insulina, você tornará a prática do jejum intermitente um verdadeiro inferno. É como colocar a carroça na frente dos bois.

Com seu metabolismo e sistema hormonal fora de ordem, seu corpo terá dificuldades em obter energia dos estoques adiposos durante os períodos de jejum, e isso poderá causar fraqueza, tontura, dor de cabeça, fome e outros problemas.

O jejum intermitente está sendo apresentado aqui como o terceiro pilar desse estilo de vida justamente porque ele é a terceira etapa a ser aplicada. É absolutamente crucial que essa prática venha somente depois das outras duas, isto é, a adaptação a uma Alimentação Forte e a priorização da densidade nutricional.

Feito isso, você verá que a prática do jejum intermitente poderá ocorrer de forma orgânica e basicamente sem esforço algum, como é reportado por muitos que hoje a fazem mesmo sem pensar, simplesmente por ser algo natural, fácil, prático e que facilita o estilo de vida. O objetivo do jejum intermitente é que você se sinta bem, e não mal, enquanto o faz.

Então, novamente, antes de se aventurar pela prática do jejum intermitente, segure a ansiedade e primeiro faça o dever de casa: ajuste seu estilo alimentar, implemente a Alimentação Forte.

Agora, como muitas pessoas divulgam mitos e medos infundados por aí sobre jejum intermitente, vamos aos fatos.

Metabolismo

Um dos maiores mitos espalhados sobre jejum intermitente é que ele causará uma desaceleração do metabolismo, sendo que você precisa comer a cada três horas ou algo do gênero para que isso não aconteça.

Antes de mais nada, façamos uma rápida análise evolutiva para ver se ao menos faria sentido que isso acontecesse, tudo bem? Faria sentido evolutivo que a falta temporária de alimentos causasse uma desaceleração do metabolismo?

Vejamos, se nós porventura vivêssemos na Idade da Pedra e não conseguíssemos caçar ou pescar nada durante um dia inteiro de azar e más condições climáticas, faria sentido que no dia seguinte nos sentíssemos fracos e sem energia nenhuma? Isso seria nosso fim, não é verdade? Afinal, se nós não conseguimos achar comida no dia anterior nos sentindo bem, imagina agora nos sentindo mal.

Logo, vamos fazer um trato, não vamos ofender e desrespeitar a infinita inteligência da natureza achando que meros períodos curtos e temporários de falta de comida causarão fraqueza, redução do metabolismo e nosso amargo fim. A natureza nos deu a incrível habilidade de lidarmos com faltas intermitentes de comida simplesmente porque isso é e sempre foi necessário para a sobrevivência.

Além do mais, também está bem documentado cientificamente que a prática correta do jejum intermitente, diferentemente do que dizem não só não desacelera o metabolismo (como mostrado em um estudo[86] em que pessoas obesas comeram um dia sim e um dia não mantendo o metabolismo normal), mas, pelo contrário, pode acelerá-lo,[87] por mais incrível que possa parecer. Faz todo o sentido que, afinal, ao ficarmos um tempo sem comer, nosso corpo nos dê energia extra para acharmos alimento. Incrível! Esse é um fato comprovado e documentado de forma científica. Fique sempre à vontade para visitar as referências citadas.

Músculos

Outro grande medo espalhado por aí é o de que a prática do jejum intermitente causará perda muscular, ou seja, a temida queima de massa magra. Sim, isso pode acontecer, claro, mas somente quando os períodos de jejum são longos demais, muito além do que estamos falando aqui.

No entanto, novamente podemos fazer uma rápida análise evolutiva e perceber que perder massa muscular durante períodos curtos de falta de comida não faria sentido, pelos mesmos motivos que vimos anteriormente quando falamos de metabolismo: sobrevivência!

Sobre isso, o médico canadense dr. Jason Fung, talvez um dos maiores especialistas em jejum intermitente no mundo hoje, tem uma ótima analogia:

---

86. Alternate-day fasting in nonobese subjects: effects on body weight, body composition, and energy metabolism. Disponível em: <www.ncbi.nlm.nih.gov/pubmed/15640462>. Acesso em: 8 fev. 2018.

87. The aetiology of obesity part 4 of 6: the fast solution. Disponível em: <https://youtu.be/pG89j-432w-Y>. Acesso em: 8 fev. 2018.

IMAGINAR QUE O CORPO QUEIMARÁ MÚSCULOS
EM VEZ DE GORDURA CORPORAL DURANTE PERÍODOS DE JEJUM
INTERMITENTE É COMO SE QUISÉSSEMOS USAR A LAREIRA EM CASA
PARA NOS AQUECER E COLOCÁSSEMOS O SOFÁ PARA QUEIMAR,
EM VEZ DA LENHA QUE TEMOS PARA ISSO.
SIMPLESMENTE NÃO FAZ SENTIDO.

A gordura estocada no corpo existe justamente para prover energia ao organismo nessas circunstâncias, ao passo que músculos são tecidos valiosos para nossa existência e tendem a ser preservados o máximo possível. Aliás, é bem documentado na literatura que o jejum intermitente promove o aumento do hormônio do crescimento, que incentiva a preservação da massa muscular e também do hormônio adrenalina, substância que nos dá mais energia (acelera o metabolismo).

Considere esse estudo[88] publicado em 2010 no jornal *Obesity* que acompanhou dezesseis pessoas obesas por dez semanas, sendo que oito delas fizeram jejum intermitente em dias alternados, ou seja, se alimentavam durante um dia e não comiam nada no dia seguinte.

Como podemos ver nessa tabela, enquanto elas perderam uma boa quantidade de gordura corporal no processo, a massa magra (músculos) foi mantida praticamente igual até o final. O corpo prefere preservar a massa magra e queimar a gordura em seu lugar, o que faz todo o sentido. O jejum intermitente ainda tem mostrado preservar a massa óssea.[89]

---

88. Improvements in coronary heart disease risk indicators by alternate-day fasting involve adipose tissue modulations. Disponível em: <www.ncbi.nlm.nih.gov/pubmed/20300080>. Acesso em 28 jun. 2018.

89. Alternate-day fasting poses no threat to bone health. Disponível em: <http://www.medscape.com/viewarticle/870351?nlid=110192_2982&src=wnl_dne_161018_mscpedit&impID=1217261&faf=1?src=soc_tw_share>. Acesso em: 11 jun. 2018.

Fase inicial de controle

	Dia 1	Dia 14
Peso corporal (kg)	96,4 ± 5,3	96,5 ± 5,2
BMI (kg/m^2)	33,7 ± 1,0	33,7 ± 1,0
Gordura corporal (kg)	43,0 ± 2,2	43,5 ± 2,5
Massa magra (kg)	52,0 ± 3,6	51,4 ± 3,4
Circunferência abdominal (cm)	109 ± 2	109 ± 3

Fase de alimentação controlada

	Dia 41 Dia de alimentação	Dia 42 Dia de jejum
Peso corporal (kg)	93,8 ± 5,0*	93,7 ± 5,0*
BMI (kg/m^2)	32,8 ± 1,0	32,8 ± 0,9
Gordura corporal (kg)	41,8 ± 2,7	41,3 ± 2,7
Massa magra (kg)	51,8 ± 3,8	51,1 ± 3,2
Circunferência abdominal (cm)	106 ± 3	106 ± 3

Fase de alimentação autosselecionada

	Dia 69 Dia de alimentação	Dia 70 Dia de jejum
Peso corporal (kg)	92,8 ± 4,8*	90,8 ± 4,8*
BMI (kg/m^2)	32,1 ± 0,8*	31,4 ± 0,9*
Gordura corporal (kg)	38,1 ± 2,6*	38,1 ± 1,8*
Massa magra (kg)	52,8 ± 3,3	51,9 ± 3,7
Circunferência abdominal (cm)	105 ± 3*	105 ± 3*

Todos os valores são médios ± s.e.m. As variáveis peso corporal e composição corporal não se alteraram durante a fase inicial de controle (dia 1-14).
* Significativamente diferente da fase inicial de controle (dia 14). P <0,05 (Fator único ANOVA com análise de Bonferroni).

Fome

Outro grande medo das pessoas é que elas ficarão famintas ao praticar o jejum intermitente. Aqui é importante salientar que isso pode acontecer, caso você cometa o erro que mencionei antes, que é o de se aventurar pela prática do jejum sem antes corrigir sua alimentação. Lembre-se disso!

Dito isso, a fome é outra questão em que o que acontece na realidade é contraintuitivo. Um estudo[90] publicado ainda em 1964 no conceituado *Jornal Americano de Medicina Aplicada* testou os efeitos de períodos extremamente longos de jejum em onze pessoas obesas que ficaram sem comer por, pasme, entre 12 e 117 (!) dias.

Durante esses períodos excessivamente longos de jejum, as pessoas consumiram somente água e vitaminas, e veja o que os pesquisadores disseram: "O aspecto mais incrível a respeito desse estudo foi a facilidade com que os períodos prolongados de jejum foram tolerados". Outro estudo[91] documentou o mesmo efeito, citando que "um sentimento de bem-estar foi associado ao jejum".

Logo, até mesmo em períodos quase impossivelmente longos de jejum, parece, que quando o corpo está adaptado de forma correta de verdade, a sensação de fome é minimizada ao extremo, enquanto ainda há uma aumentada sensação de bem-estar.

Na realidade, eu mesmo noto isso quando faço meus protocolos de jejum de 14 por 10 e 16 por 8 rotineiramente no meu estilo de vida, às vezes estendendo por 24 horas, e me sinto extremamente bem, com a fome sob total controle. É muito prático. Lembre-se, o objetivo de tudo aqui é nos sentirmos bem!

Ainda sobre a questão da fome, muitas pessoas confundem fome real com gula ou força do hábito. Então, vamos abrir um rápido parêntese para entender um pouco mais sobre isso.

---

90. Prolonged starvation as treatment for severe obesity. Disponível em: <http://jama.jamanetwork.com/article.aspx?articleid=1161598>. Acesso em: 8 fev. 2018.

91. Correction and control of intractable obesity. Disponível em: <http://jama.jamanetwork.com/article.aspx?articleid=328040>. Acesso em: 8 fev. 2018.

Em termos simples, fome real é uma necessidade fisiológica do corpo, enquanto gula é uma necessidade emocional, assim como fome por hábito é apenas uma vontade de comer que surge de maneira automática nos horários em que você já está acostumado a fazer suas refeições.

A seguir apresento algumas diferenças básicas entre fome e gula para que você ganhe clareza sobre o assunto, saiba identificar cada uma e tenha mais poder sobre você mesmo.

Fome real

- É uma sinalização do corpo da necessidade fisiológica de ingerir nutrientes ou energia;
- Em um organismo saudável, ela aparece em ondas suaves. Você começa a sentir uma sensação de fome lentamente e, se não comer nada, essa onda de fome vai embora e você quase nem nota (lembra a última vez em que você sentiu fome mas não pôde comer por causa do trabalho e logo depois não tinha mais fome?);
- Qualquer tipo de alimento irá lhe apetecer, seja um filé de salmão, seja uma salada.

Gula (fome emocional)

- É a "vontade de comer", uma necessidade emocional ou força de hábito, e não uma necessidade fisiológica. Tipicamente você sente vontade de comer algo devido a seu estado emocional atual, para se distrair, se recompensar ou meramente por um prazer momentâneo;
- Aparece de uma hora para outra com picos intensos. Você simplesmente sente vontade de comer algo e não sabe o porquê, mesmo que tenha almoçado recentemente, por exemplo;
- Gula faz com que você tenha "fome" por alimentos específicos e não qualquer um. Em geral são alimentos saborosos como doces ou frituras, que provocam sensação rápida e imediata de prazer e não de nutrição.

Uma pergunta que você pode se fazer para identificar facilmente se o que está sentindo no momento é fome de verdade ou apenas gula é: "Neste momento, eu comeria um bife grelhado?" ou "Neste momento, eu comeria uma salada?".

Se a resposta for não, ou seja, se esse tipo de alimento "normal" não lhe apetecer, é bem provável que sua vontade de comer seja gula e não fome. Em caso de fome, qualquer alimento irá lhe apetecer. Mantenha isso em mente.

Quebrar ou não o jejum

Sem dúvida, o que pode romper ou não o jejum é o questionamento que mais recebo sobre esse assunto, e, se plantasse uma árvore a cada vez que alguém me pergunta se certo alimento quebra ou não o jejum, já viveríamos em uma selva.

Antes de compartilhar com você mais detalhes sobre isso, precisamos ganhar sobriedade a respeito de um fato: o propósito e o objetivo básico do jejum intermitente são abster-se de alimentos, isto é, não comer, ponto!

Muita gente que se preocupa demais em saber o que pode comer ou beber durante essa prática e mesmo assim não "quebrá-la" talvez ainda não tenha se tocado disso, portanto, curta seus períodos de jejum como eles são: períodos de abstinência de comida, e não tente sabotar o próprio processo. Gostaria que isso ficasse claro.

Não existe um livro negro oficial do jejum intermitente que defina todas as regras a serem seguidas. Logo, tudo fica a cargo do bom senso e das preferências de cada um, afinal, o que não falta são variações do costume. Eu acredito na prática de jejum intermitente como estilo de vida, não como martírio ou obrigação.

O "quebrar" do jejum, fisiologicamente falando, seria o momento em que nosso consumo calórico começa a sinalizar ao corpo o cancelamento dos processos naturais de reciclagem e otimização (como a autofagia), e a reversão do metabolismo para o processamento da energia que foi recém-ingerida.

Um jejum tradicional seria aquele em que você não consome absolutamente nenhuma caloria. Como exemplo óbvio, a água não "quebra" o jejum, assim como água com gás, chá, café e bebidas do gênero que não tenham valor energético (zero caloria) também não. Portanto, todas seriam muito bem-vindas nesse caso.

Além disso, existem muitos proponentes da ideia de que o consumo de energia na forma de pura gordura também não irá "quebrar" o jejum. No entanto, embora o consumo de gorduras puras possa não quebrar o jejum, de fato isso não significa que essa energia extra será ignorada, mantenha isso em mente. A forma como muitas pessoas tiram vantagem disso é através do consumo de café ou chá adicionado de outros ingredientes, tais como óleo de coco, manteiga ou óleo TCM (triglicérides de cadeia média). A meu ver, essa estratégia pode ser tanto um tiro no pé, quando adotada sem necessidade, quanto estrategicamente útil em casos específicos, como durante a adaptação ao jejum, quando o consumo de uma bebida nesses moldes pode ajudar no processo; ou, ainda, quando essa bebida está substituindo uma refeição, prolongando dessa forma o período de jejum.

Caso seu objetivo seja emagrecimento, você quer que seu corpo queime a gordura estocada e não a gordura extra que você ingere durante o jejum, correto?

Agora, em se tratando de comida, parece um tanto óbvio se assumir que o consumo de sólidos deve ser completamente evitado caso você tenha, de fato, interesse em se beneficiar do jejum intermitente, afinal, isso vai de encontro à própria definição dessa prática.

Vamos ver o que podemos consumir durante o jejum de forma a não "quebrá-lo" ou causar o mínimo de interferência possível, começando com opções de líquidos que são bem-vindas a qualquer hora:

- Água;
- Água com gás;
- Água com limão (ou saborizada naturalmente com pedaços de outras frutas ou legumes);

- Chás de todos os tipos (sem açúcar, mel ou equivalentes);
- Café (sem açúcar ou equivalentes).

Essas opções são as melhores para se maximizar os benefícios da prática sem interferência alguma.

No entanto, para aqueles que ainda estão se adaptando ou acham que irão se beneficiar da adição de gorduras durante os períodos de jejum, seja para prolongá-los ainda mais, seja para dar uma espécie de "turbinada" mental, existem algumas alternativas que podem causar pouca interferência. Porém, tenha em mente que, ao se consumir energia durante o jejum, você estará retardando seus resultados de emagrecimento e talvez alterando processos metabólicos que, ainda não entendemos por completo. Fica a seu critério decidir.

Com isso em mente, bebidas como café e chá adicionados puramente de gorduras, como as a seguir, podem ser boas opções:

- Óleo de coco;
- Manteiga;
- Óleo TCM (triglicérides de cadeia média).

Algumas pessoas também acham benéfico colocar uma colher pequena de nata no café, um pingo de leite no chá ou algo do gênero.

Muitos também perguntam sobre adoçantes não calóricos e bebidas de zero caloria. Elas quebram o jejum?

Em termos de refrigerantes zero e outras bebidas com adoçantes artificiais, a decisão é simples. Se você está fazendo um esforço sério para se desintoxicar e abraçar por completo a Alimentação Forte, limitando as substâncias comestíveis, essas bebidas precisam ser removidas de seu dia a dia ou pelo menos bastante limitadas.

A respeito de outros adoçantes naturais e não calóricos, como estévia, eritritol e afins, tenho uma forte opinião de que nós é que devemos ter controle sobre o doce, e não o contrário. Por isso, acredito na redução da frequência com que sentimos esse sabor, já que sabemos que o sabor doce é viciante e que a cada vez que ficamos expostos a ele fortalecemos ainda mais o hábito. Logo, sobretudo em períodos de jejum, desaconse-lho o consumo de bebidas adoçadas de qualquer forma.

Agora, fisiologicamente falando, em teoria os adoçantes não calóri-cos naturais como eritritol e estévia não "quebrariam" o jejum. No entan-to, existem estudos que mostram que o gosto doce na boca faz com que o corpo se prepare metabolicamente para receber energia, e isso pode ser negativo ao propósito do jejum. Mais uma vez, fica a seu critério "ar-riscar" ou não.

Com isso, chegamos ao final deste capítulo. Espero que você possa estar mais confortável com a ideia do jejum intermitente e também con-fiante nos incríveis benefícios dessa prática, quando feita corretamente e na hora certa.

Terminamos também nosso passeio pelos três pilares desse novo estilo de vida, a Alimentação Forte, a densidade nutricional e o jejum in-termitente, que mostram como ele é estruturado e como pode trazer de volta a saúde e a boa forma que você merece, ajudando-o a viver seus dias com mais liberdade alimentar, vitalidade, energia e positividade.

10.
NA PRÁTICA

> **"Saúde é um estado de completo bem-estar físico, mental e social, e não a mera falta de doença."**
> **Organização Mundial da Saúde**

Agora, e só agora que você compreende a base de tudo, entende que o ganho de peso é apenas mais uma consequência da verdadeira raiz do problema e não a causa dele, que a resistência à insulina está no centro da síndrome metabólica, que a qualidade do que você come é mais importante do que a quantidade, que cada macronutriente é metabolizado de forma diferente no corpo e que emagrecimento e saúde não consistem meramente em comer menos e se exercitar mais, mas em comer melhor e em restabelecer nossa saúde hormonal e metabólica, podemos começar a ver alguns exemplos de como aplicar esse novo estilo de vida na prática.

Lembrando que este livro não é um livro de dietas, afinal, não precisamos de mais deles. Esta obra é a apresentação e o embasamento de um novo estilo alimentar libertador fundamentado em ciência e que prioriza bem-estar, boa forma e saúde, tanto a curto quanto a longo prazo. Caso você tenha interesse em ir além, meus programas passo a passo de emagrecimento com receitas, instruções semana a semana, lista completa de alimentos etc., estão disponíveis para ajudá-lo. Por favor visite o site: <emagrecerdevez.com>.

Aqui veremos algumas diretrizes e dicas gerais que irão ajudá-lo a já começar com o pé direito e a ter uma boa ideia de como tudo funciona. Vamos em frente!

Como montar seus pratos de Alimentação Forte

Antes de você correr para a cozinha ou o buffet por quilo, precisamos definir algo importante: seu objetivo.

Como vimos, a Alimentação Forte é um estilo de vida flexível que pode se adequar a qualquer objetivo, seja emagrecimento, manutenção do peso ou até ganho de massa muscular, e que pode também variar em relação à composição de macronutrientes, seja mais *low carb*, paleolítica, cetogênica ou alta em carboidratos.

Logo, o primeiro passo é você decidir seu objetivo primário.

Já vimos em detalhes que caso seu objetivo primário seja emagrecimento, uma estratégia de Alimentação Forte mais *low carb* (baixa em carboidrato) ou até cetogênica (bem baixa em carboidrato) é, segundo a ciência, a intervenção mais poderosa que existe contra a síndrome metabólica e a obesidade. Além disso eu particularmente acredito que uma Alimentação Forte otimizada em baixo carboidrato é a mais benéfica de se ter como estilo de vida e a que mais se assemelha à alimentação que somos evolutivamente programados para praticar. No entanto, como tudo aqui, você tem total liberdade para decidir o que é melhor para você.

Caso você já tenha atingido seu peso ideal e queira apenas mantê-lo, você poderia escolher seguir uma Alimentação Forte mais moderada em carboidrato, mas que ainda se mantém fiel aos fundamentos básicos desse estilo de vida. Se quiser apenas turbinar sua performance mental e seu bem-estar, você pode se ater aos fundamentos, ajustando os carboidratos como achar melhor, de forma que se adapte a seu gosto e estilo de vida.

Ainda, se o seu objetivo é ganho de massa muscular e você acredita que uma maior ingestão de carboidrato irá lhe beneficiar, ótimo, você tem essa liberdade. Agora, sobre isso, eu não tenho a menor dúvida de que ganho de massa muscular é plenamente possível (e talvez até otimizado) quando seguimos uma Alimentação Forte baixa em carboidrato, na qual quase que por definição priorizaremos os alimentos de maior densidade nutricional, que são os melhores combustíveis para o anabolismo muscular.

Independentemente do objetivo, você pode a qualquer momento alterar seus macronutrientes de acordo com suas preferências e prioridades. O ponto-chave aqui é que a mudança crucial que lhe trará os maiores benefícios, em se tratando de saúde, boa forma e performance geral, é justamente seguir os três pilares da Alimentação Forte da melhor forma que puder. Qualquer coisa além disso é questão de otimização fina. Isso é liberdade alimentar. Isso é estilo de vida!

Vejamos a seguir algumas ilustrações de pratos simples nos moldes da Alimentação Forte que exemplificam essa ideia de variação possível de macronutrientes:

**Filé de salmão com brócolis
e cenoura na manteiga (*low carb*)**

**Bife com fatias de abacate
e salada (cetogênica)**

**Coxa de frango com batata-
-doce e couve-flor (paleo)**

**Hambúrgueres com bacon,
queijo e legumes mistos
(*low carb*/cetogênica)**

**Arroz com almôndegas,
molho de tomate e queijo
(alta em carboidratos)**

**Abóbora com camarões
na manteiga e salada
(paleo, moderada em carboidratos)**

**Ovos com bacon e
espinafre (cetogênica)**

Esses são só alguns poucos exemplos para inspirá-lo a criar os seus próprios. As possibilidades são quase infinitas, e você pode deixá-las tão elaboradas ou simples quanto quiser, portanto comece a adaptar seu estilo de vida devagar, no seu tempo, com calma, afinal, essa é uma mudança para a vida toda.

Veja como o processo em si para montar cada uma das suas refeições segundo a Alimentação Forte pode ser extremamente simples:

1º passo — Base

Antes de mais nada, tenha em mente o fundamento básico da Alimentação Forte, ou seja, focar no consumo de alimentos de verdade e limitar ao máximo as substâncias comestíveis. Essa atitude por si só irá, mais do que qualquer outra, lhe trazer os maiores benefícios nesse seu novo estilo de vida. Você vai querer priorizar alimentos nutritivos e não processados, como vegetais e carnes variadas, em vez de substâncias comestíveis tóxicas, refinadas, processadas e pobres em nutrientes, como farináceos, açúcares, óleos vegetais, grãos, entre muitos outros.

Agora, com seu prato vazio na frente, o primeiro passo que eu sugeriria é adicionar uma bela e saborosa fonte completa de proteína de alto valor biológico. Aqui você tem inúmeras opções de acordo com sua preferência:

- Carnes de todos os tipos (peixe, frango, porco, vaca, carneiro, peru, qualquer outro animal; carne moída, ensopada, desfiada, bife, churrasco, assados, grelhados e qualquer outra variedade que possa imaginar);
- Ovos de qualquer animal (omeletes, ovos cozidos, fritos, mexidos, fritadas etc.);
- Peixes e frutos do mar (salmão, sardinha, atum e qualquer peixe disponível; ostras, camarões, polvo, mariscos, lula, caranguejo e qualquer fruto do mar disponível);
- Laticínios integrais (queijos gordos e artesanais, iogurte integral, fermentados etc.), desde que você não tenha problemas com laticínios.

Caso você seja vegetariano ou vegano, as opções de proteína de alta qualidade estarão bastante limitadas, assim como sua alimentação no geral. Logo, busque selecionar as melhores opções disponíveis para você tentando ainda se ater ao máximo possível aos princípios da Alimentação Forte.

2º passo — Objetivo

Uma vez que a peça central, ou seja, a maior fonte de nutrição do seu prato, foi escolhida, é hora de relembrar seu objetivo para decidir o resto.

Você quer montar um prato mais baixo, moderado ou alto em carboidratos? Vimos as incríveis vantagens de um estilo de vida mais baixo em carboidratos, o qual também quase que automaticamente tende a ser o mais nutritivo como um todo devido à priorização da densidade nutricional dos alimentos. No entanto, você tem liberdade para montar um prato também mais generoso em carboidratos de acordo com suas preferências e objetivos.

Caso esteja focando em emagrecimento, melhoras na resistência à insulina e quadro de síndrome metabólica, por exemplo, a ciência mostra irrefutavelmente que um prato mais baixo em carboidratos seria o mais vantajoso, logo você poderia optar por carboidratos fibrosos e de baixo índice glicêmico como:

- Legumes leves em geral, como brócolis, couve-flor, abobrinha, chuchu, repolho, pimentão, tomate, pepino, cebola, alho, vagem, cogumelo, quiabo, berinjela etc;
- Folhas em geral, como rúcula, agrião, alface, espinafre ou qualquer outra.

Caso queira deixar seu prato mais generoso em carboidratos, você pode escolher outras opções que ainda aderem ao fundamento-base da Alimentação Forte, no entanto são menos densas em nutrientes, como abóbora, batata-doce, arroz, mandioca, taioba, cenoura, beterraba etc.

Tenha sempre seu objetivo em mente e ajuste tudo como necessário.

3º passo — Complementos opcionais

Nesse ponto você vai ter uma bela fonte de proteínas e nutrição no seu prato, seguida de carboidratos fibrosos ou mais densos, de acordo com seus objetivos, e você poderia muito bem parar por aí, se quiser. No entanto, você poderia também complementar seu prato de algumas formas.

Caso queira, por exemplo, adicionar uma gordura natural extra, essa é a hora. Entanto, tenha cautela e mantenha seu objetivo em mente. A melhor prática de maneira geral é que você consuma gorduras através dos alimentos que são naturalmente ricos nelas, como carnes, peixes, queijos, frutas como abacate, coco etc.

No entanto, caso esteja fazendo uma Alimentação Forte cetogênica ou queira realçar o sabor do prato, ou ainda simplesmente aumentar o valor energético dele, você pode querer adicionar óleo de coco, azeite de oliva, óleo TCM, manteiga ou outra opção para se beneficiar dessas calorias e da saciedade adicional sem danos ao funcionamento da sua insulina.

Em se tratando de gorduras para cozinhar, ótimas opções para isso são o óleo de coco, banha de porco, *ghee* e ainda azeite de oliva, manteiga e outros óleos naturais, sempre atentando para não superaquecê-las mais do que o necessário. É preferível que evite cozinhar qualquer alimento em fogo alto, afinal, você não quer danificar essas gorduras. Ainda outro complemento natural de gorduras poderiam ser as nozes, castanhas ou sementes, para adicionar crocância à sua refeição, caso você as tolere bem.

Também tenha em mente a cada passo o segundo pilar desse estilo alimentar, que é a priorização da densidade nutricional dos alimentos. A todo momento você pode optar conscientemente pelos alimentos mais nutritivos disponíveis para você. É um corpo bem nutrido que trabalha de forma otimizada!

Enfim, as possibilidades são inúmeras quando você prioriza alimentos de verdade em vez de substâncias comestíveis. Essas são apenas sugestões básicas de formas extremamente simples de se começar a se nutrir com rapidez com a Alimentação Forte.

Caso você queira enriquecer seu paladar e expandir seu universo de possibilidades ainda mais, você pode contar com literalmente milhares de receitas possíveis que se ajustam à Alimentação Forte, sejam doces, lanches, jantares, almoços, bebidas etc. Você pode encontrar centenas delas no portal da Tribo Forte (triboforte.com.br), assim como no programa Código Emagrecer De Vez (codigoemagrecerdevez.com.br).

Uma vez que você abraça a Alimentação Forte e seus fundamentos, você abre um novo universo de possibilidades que pode ser aproveitado sem culpa, sem dor na consciência e sem danos ao seu corpo.

Isso é estilo de vida, isso é liberdade alimentar!

Esquemas de flexibilidade

Nada na vida é 100% e a única certeza que temos é que mudanças sempre ocorrem. Como vimos, para que um estilo alimentar seja de fato uma forma de se viver, e não uma dieta ou martírio alimentar temporário e restrito, ele precisa ser flexível e adaptável. Isso implica a ideia de buscar manter os melhores hábitos possíveis na maior parte do tempo de forma que, quando surgirem imprevistos ou situações especiais na sua rotina, você possa curti-las em paz sem arruinar seus objetivos de saúde e boa forma.

Como guia de flexibilidade, costumo sugerir os esquemas opcionais de 95/5, 90/10 e 80/20 para que você tenha uma base de comparação. Como vimos, o esquema 90/10, por exemplo, consiste em você praticar a Alimentação Forte durante 90% do tempo e usufruir dos outros 10% se alimentando da maneira que bem entender, caso queira. O esquema 80/20 funciona da mesma forma, porém, apesar de ser mais flexível, também tende a ser menos benéfico, obviamente.

Você pode usar dessa flexibilidade de modo intencional, por exemplo reservando o sábado para enfiar o pé na jaca se quiser ou apenas como reserva para acontecimentos do acaso, como festas e celebrações que podem surgir de forma inesperada na sua rotina. Você é quem decide de acordo com seu estilo de vida e preferências.

Mas tenha em mente que essas são meras sugestões gerais, já que pessoas com estado avançado de síndrome metabólica (diabetes, obesidade etc.) ou outras condições provavelmente precisarão de um comprometimento bem mais alto e restrito, pelo menos até reverterem seu quadro.

Comer fora de casa

Frequentemente as pessoas me pedem dicas de como seguir a Alimentação Forte comendo fora de casa e a resposta é: da mesma forma que se faz em casa.

Não tem segredo, ainda mais hoje em dia, com tantos restaurantes do tipo buffet em volta, por exemplo. No entanto, precisamos concordar que existe um grande obstáculo em se tratando de comer fora e ele é: nós não temos controle total sobre os ingredientes, de forma que, quanto mais comemos fora de casa, menos controle teremos sobre a comida. Logo, mais riscos de consumir itens que não necessariamente irão ajudá-lo a ser mais saudável.

Agora, mesmo que você não possa saber se eles usaram óleos vegetais (provavelmente), realçadores de sabor em alguns pratos ou outras substâncias comestíveis em outros, você geralmente tem a opção de escolher alimentos minimamente processados, os quais constituem a essência da Alimentação Forte, como carnes, peixes, legumes, folhas etc.

Nos buffets por quilo é bastante simples montar um prato de Alimentação Forte de acordo com seu objetivo, seja *low carb*, paleolítica, alto em carboidratos. Apesar de você não ter controle sobre 100% dos ingredientes, você pode fazer escolhas fáceis que garantirão pelo menos 90% da qualidade. Faça o melhor que puder!

Já no que se refere a restaurantes à la carte, as escolhas podem ser ainda mais fáceis. Em praticamente todo restaurante, independentemente da culinária em questão, você tende a encontrar no cardápio opções de saladas, grelhados e legumes diversos. Pratos como peixe assado com legumes na manteiga, frango assado, bifes, frutos do mar, saladas com frango, omeletes etc., são achados com frequência em uma enorme variedade de restaurantes.

Alguns exemplos de culinárias onde será mais fácil de se comer no estilo da Alimentação Forte incluem restaurantes gregos (carnes, legumes e folhas), mexicanos (carnes e legumes; fuja das tortilhas e farináceos), indianos (frango, carneiro, ensopados e legumes), italianos (peixes, carnes, frutos do mar e saladas; fuja das massas), mediterrâneos (saladas, grelhados, queijos, peixes e frutos do mar), *pubs* (asinha de frango, carnes etc.), tailandeses (curry com carnes, frutos do mar, legumes e folhas), vietnamitas (ensopados com carnes e frutos do mar etc.), chineses (mexidos de carnes e legumes; cuidado com molhos doces), coreanos (churrasco típico, ensopados de carnes variadas), japoneses (sashimi, entre outros; cuidado com açúcares adicionados e o excesso de arroz) e churrascarias (tudo menos as massas e outros carboidratos refinados).

Obviamente, se você escolher ir em uma casa de massas, hamburgueria ou pizzaria, suas opções estarão bastante limitadas, ainda que até mesmo nesses lugares hoje em dia se encontrem no cardápio opções melhores.

As opções são muitas e podem agradar aos mais variados paladares e preferências. Não existem desculpas para não seguir uma Alimentação Forte fora de casa, e se mesmo assim o lugar em que você estiver realmente não tiver opção nenhuma que se ajuste, não precisa se desesperar, afinal, tenha em mente a questão da flexibilidade e liberdade alimentar que agora você possui. Alimentação Forte é estilo de vida.

Ir às compras

Geralmente todos os supermercados possuem um layout similar, sendo que as substâncias comestíveis formam a maior parte do que é exposto e basicamente o seguem desde o momento em que você entra, se concentrando em quase todos os corredores, e ainda à medida que você se aproxima do caixa. Já os alimentos de verdade costumam ser jogados para escanteio, ou seja, tendem a ser expostos nos arredores do mercado, como no caso das frutas e verduras e do açougue.

Quando eu vou ao supermercado fazer compras para a semana, meu itinerário dentro dele é muito simples e basicamente consiste em visitar seus cantos e raramente o meio. Com isso eu tenho acesso com rapidez à parte de alimentos frescos, como legumes e verduras, ao açougue e peixaria, ao freezer e aos refrigerados (queijos, manteiga, bacon etc.).

Uma dica básica que você já deve ter ouvido e que é realmente poderosa é se certificar de não ir ao supermercado com fome. Ajude a si mesmo e diminua no seu dia a dia a frequência de momentos em que você precise contar com seu estoque finito de força de vontade para ignorar coisas tentadoras. Todos os corredores do meio e as substâncias comestíveis irão apelar para seus sensores de prazer no cérebro quase como um mantra, "compre-me, compre-me", mas lhe garanto que a força delas sobre você será cada vez menor à medida que você se alimenta de verdade por mais tempo seguindo a Alimentação Forte. Lembre-se, a indústria alimentícia investe bilhões de reais para tentar tornar esses alimentos viciantes e tentadores.

Dentro do programa Código Emagrecer De Vez eu forneço exemplos de listas de compras para se iniciar na Alimentação Forte com foco específico em emagrecimento, caso tenha interesse.

Jejum intermitente na prática

Espero que você tenha lido com cuidado e entendido o capítulo dedicado ao jejum intermitente, afinal, muita gente complica isso demais e espalha mitos por aí. É importante que você esteja bastante confiante dos benefícios dessa prática milenar.

Primeiro de tudo, não existem regras. Segundo, jejum intermitente é infinitamente mais fácil e prazeroso de seguir depois de você já ter se adaptado à Alimentação Forte e à priorização da densidade nutricional dos alimentos. É por isso que ele é o terceiro pilar desse estilo de vida, não o primeiro ou o segundo.

O jejum intermitente, assim como a Alimentação Forte em si, também pode e deve ser ajustado de acordo com o seu objetivo no momento. Você precisa decidir se seu objetivo primário é emagrecimento, performance, manutenção do peso ou ganho de massa e ajustar os protocolos de jejum de acordo com ele. Você tem esse poder e agora também o conhecimento necessário, portanto vou lhe dar uma ideia geral das possibilidades.

Como vimos antes, para que um intervalo entre refeições seja qualificado como jejum no nosso contexto, ele precisa ser de no mínimo doze horas, como quando você janta às 19 horas e toma café da manhã às 7 horas. Isso gera um intervalo de doze horas entre as refeições, incluindo o sono, coisa que era a norma até poucas décadas atrás.

Agora, se você ainda não conseguir pelo menos o intervalo de doze horas no seu dia, esse será provavelmente seu primeiro objetivo. Aliás, tenha em mente o seguinte:

NÃO EXISTE OBRIGATORIEDADE DE VOCÊ FAZER JEJUM INTERMITENTE NO SEU DIA A DIA, ESSA É UMA MERA FERRAMENTA OPCIONAL QUE PODE AJUDÁ-LO A ATINGIR SEUS OBJETIVOS. DEPENDENDO DA SUA SITUAÇÃO, O JEJUM BEM-FEITO PODE SER UMA ARMA PODEROSÍSSIMA PARA ACELERAR SEUS RESULTADOS, PORÉM DE FORMA ALGUMA É UMA NECESSIDADE A TODOS.

Já o que acredito que precisa de fato acontecer é quebrarmos esse hábito artificial, danoso e infundado de comermos o dia todo, a cada três horas ou ainda menos. Lembre-se também que isso só é possível quando você tem uma alimentação pobre em nutrientes e de rápida absorção. Você vai notar mudanças drásticas na sua saciedade e na frequência com que você se alimenta quando se adaptar à Alimentação Forte.

Tendo dito isso, tudo fica a seu critério. A seguir demonstro como você poderia ir além das doze horas nessa prática do jejum intermitente, se assim decidir fazer, mas mantenha em mente que é crucial que você se adapte à Alimentação Forte antes de se aventurar, simplesmente porque assim você irá facilitar sua vida.

Bom, uma forma simples de começar a ir além das doze horas é simplesmente pular uma refeição aqui e ali de vez em quando. Por exemplo, pular uma das refeições do dia duas ou três vezes na semana, como o café da manhã nas segundas, quartas e sextas, ou, se preferir, o jantar ou o almoço.

Por exemplo, ao pular o café da manhã e somente almoçar, você estará meramente estendendo o período natural de jejum que já está acontecendo desde o jantar do dia anterior. Dessa forma você pode facilmente atingir um jejum de dezesseis horas.

Para que você apenas tenha como exemplo (e não diretriz a ser seguida), compartilho a seguir a forma como eu mesmo tendo a praticar o jejum intermitente em uma semana típica minha no momento. Tenha em mente que isso pode variar a qualquer instante.

Vale dizer que meu foco não é emagrecimento, já que mantenho meu peso ideal há anos e estou plenamente adaptado à Alimentação Forte. Por fim, entenda que essa estrutura é uma evolução natural do meu estilo de vida e ela hoje se encaixa com perfeição à minha rotina. Eu não comecei assim! O que você escolher fazer para si pode, e provavelmente deve, ser diferente.

	SEG.	TER.	QUA.	QUI.	SEX.	SAB.	DOM.
CAFÉ DA MANHÃ	JEJUM	JEJUM	JEJUM	JEJUM	JEJUM	JEJUM	JEJUM
ALMOÇO	JEJUM	✕	✕	✕	✕	✕	✕
JANTAR	✕	✕	✕	✕	✕	✕	✕

Em poucas palavras, nunca como nada no café da manhã, e nas segundas-feiras pulo o almoço. Tendo a usar minha flexibilidade na Alimentação Forte nos fins de semana, quando costumo tomar um vinho ou até mesmo uma cerveja artesanal como parte do meu estilo de vida. Além disso, os jantares do final de semana são tipicamente as únicas refeições nas quais como algo doce, e minha escolha favorita de sobremesa natural são tâmaras secas. Isso varia bastante dependendo do lugar em que me encontro ou se estou em viagem ou não.

As minhas refeições em si durante a semana são no formato de uma Alimentação Forte bem baixa em carboidratos, apenas porque priorizo ao máximo a densidade nutricional e também não costumo fazer lanches nunca, simplesmente porque não tenho vontade e fico saciado com minhas refeições principais.

Acredito em um conceito chamado de flexibilidade metabólica. Assim como a flexibilidade de comportamento se faz necessária pela imprevisibilidade da nossa rotina, entre outras coisas, acredito também que nosso corpo se beneficia de mudanças eventuais na rotina alimentar, do mesmo modo que já sabemos que alterações na rotina de exercícios são benéficas, por exemplo.

Lembre-se, isso não é uma dieta, é um estilo de vida que você está começando a construir e lapidar para manter pela vida toda. Comece devagar e vá se adaptando aos poucos.

Driblar o medo

Quero tocar nesse assunto porque vejo muitos caindo nessa armadilha quando decidem mudar seus hábitos de estilo de vida. No entanto, esse tipo de problema tende a acontecer somente com pessoas que não fizeram o que você está fazendo, ou seja, decidiram investir um tempo em entender mais sobre o funcionamento do corpo e o porquê das coisas.

No geral, o medo que muitos têm é uma mera consequência da falta de confiança e entendimento do que estão fazendo. Para você ter uma melhor ideia daquilo a que estou me referindo, os comentários que recebo tipicamente começam nos moldes deste: "Rodrigo, comecei a comer menos carboidratos [ou a fazer jejum intermitente, ou a retirar o doce, ou a adicionar gorduras etc.] há tantos dias e estou me sentindo superbem. No entanto, recentemente notei que...". Aí começam a listar "sintomas" dos mais variados como: "Meus exames todos estão incríveis, mas a vitamina D está baixa, será falta de carboidrato?", "Estou com dor de cabeça ontem e hoje, será que não preciso de pão?", "Estou tropeçando mais na rua, será que é minha alimentação que mudou?" etc.

É como se você tivesse comprado recentemente um novo e lindo carro vermelho maior, mais confortável e econômico que seu carro antigo, e agora começasse a notar que está gastando mais dinheiro e tendo mais dores de cabeça.

"Rodrigo, será que fiz uma má escolha de carro? Será que deveria ter comprado azul em vez de vermelho? Será que meu corpo não precisa mesmo de um carro antigo?"

Até parece cômico, não é verdade? Afinal, você pode estar gastando mais dinheiro agora porque gosta tanto do carro novo que está dirigindo ele bem mais frequentemente do que o velho e por que todo esse tempo adicional no trânsito está lhe dando dores de cabeça. O carro em si não é o culpado e a cor dele muito menos!

Em geral esse comportamento, esse medo irracional e essa desconfiança, acontecem somente quando as pessoas decidem aplicar hábitos novos no seu dia a dia sem ter construído o entendimento, a autoconfiança, a responsabilidade e o comprometimento necessários para colocar tais hábitos em prática, e a única forma de adquirir isso é através de informação. Não existem atalhos.

Salvo raras exceções, na maior parte das vezes esses "problemas" relatados não são relacionados às mudanças alimentares feitas recentemente, mas o medo persiste.

Logo, parabenizo você por estar aqui absorvendo informações e fazendo a sua parte, e aproveito para sugerir também que anote seus números (resultados de exames) antes de começar a fazer qualquer mudança. Assim, você terá uma boa base inicial de comparação e não ficará culpando seus hábitos novos por danos causados por anos de hábitos velhos.

Como falar com seu médico e seu nutricionista

Se você chegar para um profissional de saúde reclamando de qualquer sintoma e mencionar que está seguindo uma dieta alimentar "baixa em carboidratos", ou "alta em gorduras", ou coisas do gênero, você vai ouvir, e não haverá discussão proveitosa.

Infelizmente, por motivos diversos, seja a rotina corrida, seja a pura falta de interesse e curiosidade, muitos profissionais não costumam investir parte de seu tempo para se atualizar segundo as melhores práticas nutricionais, estudos e novos entendimentos que são publicados. Isso é um erro grave em qualquer profissão, porém, em se tratando da vida humana, é ainda mais crítico. Para piorar, sabemos também que é fato que as escolas de medicina, nutrição e outras, tipicamente não têm seus materiais hiperatualizados e muitas vezes seus docentes são reativos e ultrapassados. Isso faz com que o aluno saia formado já com conhecimento defasado e muitas vezes completamente avesso às melhores evidências disponíveis. Aliás, o falecido professor de medicina baseada em evidências, David Sackett disse que metade do que você aprende na faculdade de medicina estará desatualizado ou completamente errado cinco anos após sua graduação. O problema é que ninguém lhe conta qual metade, logo, você precisa se atualizar por si só.

Para piorar, esses "rótulos" como paleolítica, *low carb*, cetogênica etc., têm sido utilizados na mídia de forma incorreta e relacionados a muitas informações também erradas e polêmicas. Se você chegar falando dessa forma, também trará à tona todo um estigma que instigará seu profissional não atualizado a reagir de forma negativa e muitas vezes irracional. No final da história, quem não terá a ajuda que precisa é você.

Por essas e outras, sugiro que tente parafrasear o que quer dizer evitando tais armadilhas e colocando suas ideias e seus hábitos de forma mais pertinente. Por exemplo, em vez de dizer "estou sofrendo com enxaqueca e tenho seguido uma Alimentação Forte *low carb* por dois meses" e ter que ouvir do profissional que a "dieta" é o problema e que você precisa de carboidratos (o que você já sabe que não é verdade), você pode dizer: "Estou sofrendo com enxaquecas há dois meses mesmo tendo já removido açúcar, alimentos processados e refinados da minha dieta e começado a focar mais em alimentos de verdade e nutritivos, como carnes, peixes, castanhas, gorduras boas, legumes e folhas".

Que médico ou nutricionista hoje no mundo irá lhe dizer que uma alimentação sem porcarias e rica em alimentos nutritivos seria o problema? Nesse caso, o profissional provavelmente tentará investigar junto com você as causas da sua enxaqueca.

Tenha em mente que rótulos podem ser úteis às vezes pela praticidade da coisa, porém eles também podem vir carregados de estigmas que potencialmente podem bloquear uma conversa racional sobre o assunto. Mantenha as coisas em perspectiva e lembre-se de que a Alimentação Forte nada mais é do que o nome de um estilo alimentar com base nos alimentos mais nutritivos da face da Terra e limitado em substâncias comestíveis, ponto!

Afinal, se não seguirmos a Alimentação Forte, qual será a alternativa? Será que é continuar no caminho que estamos, confiando mais na indústria do que na natureza, mais nas balelas divulgadas do que no nosso próprio corpo, nos privando, sofrendo e vivendo a pior crise de doenças metabólicas já vista na história da humanidade? Acho que não.

O que estamos fazendo até agora como população obviamente não está funcionando, e os números são prova disso. Logo, mudar é a única opção, mas que seja na direção certa!

Rodrigo Eustáquio

Desde os 19 anos Rodrigo Eustáquio luta contra a balança, num vaivém de perdas de peso e emoções. Nutricionistas, dieta dos pontos, "soluções da moda" e o eterno retorno ao sobrepeso, que chegou alguns anos depois a bater a marca de 114 quilos. Foi então que sua esposa o enviou a ele um link de um vídeo, no qual eu abordava o que era comida de verdade e como isso mudaria sua vida. Estava dado o pontapé inicial para a última "dieta" de sua vida.

Na época ele já tinha desistido de emagrecer, até mesmo de ter disposição para brincar com suas filhas. Mas viu seu dia a dia e sua vida mudarem já no primeiro dia, enquanto deliciava-se com um revigorante café da manhã à base de ovos e bacon, enquanto pensava: "Isso vai aumentar meu colesterol". Não aumentou!

RODRIGO EUSTÁQUIO

-12kg e diminuindo

Na jornada na qual decidiu embarcar, foi ao longo do caminho ganhando sabedoria, a cada momento aprendendo mais um pouco sobre o que estava fazendo. Perturbou-se com alguns amigos, que não compreendiam esse novo estilo de vida, ao mesmo tempo que conquistou vários novos. Foi ridicularizado, mas não deu importância e hoje ri na cara de quem o condenou. Na Tribo Forte encontrou um porto seguro para suas incertezas e dúvidas, além de interação com tantas pessoas num mesmo propósito; o melhor, encontrou novos amigos, mesmo que não presenciais, mas com os quais mantém uma forte sintonia.

Em casa teve o reconhecimento máximo e contagiou toda a família. A filha mais velha, hoje com 9 anos, entende as novas escolhas do pai e apoia tanto que seu café da manhã preferido são tortillas low carb de espinafre. A de 2 anos é totalmente no-crap, amante de abacate puro, iogurte caseiro integral sem açúcar (como deve ser), deliciosos bolinhos low carb da Tribo.

Com menos 12 quilos desde que mudou sua filosofia alimentar, é uma pessoa com ânimo em alta, que aproveita a vida e a vive com saúde. Ganhou mais felicidade e é eternamente grato à esposa, que como ele mesmo diz "o levou para o lado dos Jedi". Ela, que sempre gostou de alimentar-se corretamente, descobriu também o verdadeiro sabor da comida e emagreceu alimentando-se bem e adotando o estilo de vida da Alimentação Forte.

11.
EXERCÍCIOS — O QUE FAZ SENTIDO?

"A sabedoria é encontrada somente na verdade."
Johann Wolfgang von Goethe

A té agora neste livro temos focado somente em alimentação e hábitos de estilo de vida, não é verdade? Existe uma ótima razão para isso, e você já vai entender tudo.

Este é um capítulo em que precisamos, mais uma vez, dar liberdade às pessoas que ainda estão presas à ideia de que um regime intenso de exercícios físicos é absolutamente obrigatório e a melhor estratégia para emagrecer e ser saudáveis, e de que mais é sempre melhor.

Por mais que seja dito por aí que o sedentarismo está causando o ganho de peso, as evidências disponíveis mostram fatos bem diferentes. Aliás, relatos de populações tradicionais saudáveis e em forma, como as que vimos neste livro, mostram que o nível de atividade física delas muitas vezes não é muito diferente do nosso.

Por exemplo, considere um estudo,[92] publicado em 2013 no *Jornal Internacional de Epidemiologia*, que mostrou que durante os últimos trinta anos nos Estados Unidos, os números de obesidade têm explodido, apesar do nível de atividade física média na população ter praticamente se mantido estável. Disso já tiramos de cara que inatividade física não é a causa do problema!

---

92. LUKE, A. COOPER, R.S. Physical activity does not influence obesity risk: time to clarify the public health message. *International Journal of Epidemiology*, v. 42, pp. 1831-6, 2013.

Prepare-se porque essa quebra de paradigma a seguir poderá fazer você coçar a cabeça:

A verdade (e esse é um ponto positivo, acredite) é que exercícios físicos por si só não promovem emagrecimento. Isso é um mero fato científico comprovado e documentado. Exercícios por si só não promovem a perda de peso e não compensam maus hábitos alimentares.

Isso quer dizer que, se você foca em exercícios físicos como sua estratégia primária de emagrecimento, estará fadado a uma rotina exaustiva, frustrante e sem resultados duradouros.

Agora, antes de darmos uma olhadinha no corpo de evidências que comprova tudo isso, por que não fazemos primeiro uma análise evolutiva como de costume?

Faria sentido na natureza se nós nos exercitássemos um pouco e queimássemos uma quantidade absurda de energia? Faria sentido evolutivo sermos tão ineficientes no nosso gasto energético? Energia é vida, e nunca na história ela foi fácil de ser adquirida. Por isso, nosso corpo foi otimizado ao longo de milhões de anos para ser uma máquina biológica extremamente eficiente na forma como gasta e conserva energia, simplesmente porque isso aumenta nossas chances de sobrevivência.

Talvez você já tenha tido o desprazer, como eu certamente já tive, de ir fazer uma caminhada ou dar uma corrida na esteira da academia e ficar olhando aquele contador de calorias queimadas. Você já chega sem vontade, se força a subir na bendita esteira e a fazer um bom esforço por uma hora completa só para ver que o número de calorias queimadas foi por volta de 300,[93] ou seja, pouquinho mais do que um chocolate Charge ou uns dois bombons Sonho de Valsa.

E a frustração aumenta quando você se dá conta de que esse exercício só acabou por estimular mais a sua fome quando você chega em casa. Você acaba se sentindo no direito de comer uma porçãozinha a mais no

---

93. Calories burned in 30 minutes for people of three different weights. Disponível em: <www.health.harvard.edu/diet-and-weight-loss/calories-burned-in-30-minutes-of-leisure-and-routine-activities>. Acesso em: 28 jun. 2018.

seu jantar e pronto, já repôs facilmente a energia gasta durante aquela sua hora sofrida de exercícios. Não sei o que você acha, mas viver dessa forma é terrível, e nós acabamos nos sentindo prisioneiros da nossa própria rotina. O corpo quer gastar a menor quantidade de energia possível para exercer o esforço necessário!

A maior parte das calorias que nosso corpo queima por dia é devido ao que chamamos de metabolismo basal, ou seja, a quantidade de energia que o corpo gasta simplesmente para manter as funções vitais, independente de atividade física.

Mesmo que você fique deitado o dia inteiro no sofá, salvo exceções mais raras, seu corpo ainda queimará a maior parte das suas calorias devido ao metabolismo basal. Todas as calorias queimadas além disso serão devido às suas atividades diárias.

Para você ter uma ideia, veja o seguinte:

O metabolismo basal de uma pessoa de 30 anos, 70 quilos e 1,60 metro de altura é de aproximadamente 1.620 calorias por dia,[94] ou seja, ela queima 1.620 calorias por dia, mesmo ficando sentada no sofá o dia inteiro, somente para manter suas funções vitais.

Agora, vejamos a quantidade calórica que trinta minutos de algumas atividades comum queimam:

- Levantamento de peso: 112 calorias;
- Ioga: 150 calorias;
- Caminhada acelerada: 167 calorias;
- Nadar em geral: 223 calorias;
- Futebol: 260 calorias;
- Bicicleta na academia: 260 calorias;
- Corrida: 298 calorias.

Ou seja, mesmo que você, por exemplo, saia para fazer uma caminhada acelerada todos os dias por uma hora completa, você ainda

---

94. Calculadora de metabolismo basal (Unimed). Disponível em: <http://unimed.coop.br/portalunimed/aplicativos/tmb/>. Acesso em: 9 fev. 2018.

gastará 1.620 calorias por causa do seu metabolismo basal e um adicional estimado de 330 calorias por causa da caminhada, isto é, quase 85% da energia gasta pelo seu corpo naquele dia ainda independe do seu esforço. Além disso, nós sabemos que nosso esforço não se limita somente ao exercício em si, não é verdade? Você já acorda sabendo que vai ter que se exercitar, já molda seu dia de acordo, já investe tempo e esforço para se preparar e se locomover até o local, então no fim o esforço total é bem maior, sem contar que esse tipo de exercício provavelmente estimulará mais a sua fome, a fim de que você rápida e facilmente reponha esse gasto energético extra. Claro que o exercício, dependendo do tipo, também pode deixar seu metabolismo um pouco mais acelerado por um tempo depois de sua conclusão, mas tal aspecto não muda o jogo.

Vamos dar uma olhadinha em algumas evidências científicas sobre isso.

O mesmo estudo mencionado, que analisou a quantidade de exercícios e números de obesidade nos últimos trinta anos nos Estados Unidos, conclui que "um aumento tipicamente recomendado de atividade física para a maioria das pessoas, como uma hora de exercícios aeróbicos por três dias na semana, não levará à perda de peso e não prevenirá o ganho de peso, na maioria da população".

Um editorial[95] publicado no conceituado *Jornal Britânico de Medicina* diz que a "atividade física regular reduz riscos de doenças cardíacas, diabetes tipo II, demência e alguns cânceres em até 30%, no entanto, atividade física não promove perda de peso".

Outros estudos[96] também corroboram esse mesmo fato de que exercícios em si não promovem emagrecimento e não evitam que você engorde, no entanto, tenha em mente também que uma prática correta

---

95. It's time to bust the myth of physical inactivity and obesity: you cannot outrun a bad diet. Disponível em: <http://bjsm.bmj.com/content/early/2015/05/07/bjsports-2015-094911.full>. Acesso em: 28 jun. 2018.

96. Disponíveis em: <www.ncbi.nlm.nih.gov/pubmed/29096069> e <http://circ.ahajournals.org/content/circulationaha/116/9/1081.full.pdf>. Acesso em: 28 jun. 2018.

de atividade física junto com mudanças de estilo alimentar pode, sim, ter um efeito sinérgico que potencialize seus resultados.

Nós sabemos que o que mais promove o ganho de peso não é a falta de exercício, mas sim, a má alimentação. Da mesma forma, o que mais promove o emagrecimento é seu estilo alimentar. Isso acontece porque, como vimos, o ganho de peso é um problema hormonal e metabólico, que tem como cerne a resistência à insulina, e não simplesmente um problema calórico. Como o médico canadense dr. Jason Fung diz: "90% do emagrecimento vem da alimentação e somente 10% dos exercícios".

Enquanto a prática de exercícios isolada tendo como objetivo o emagrecimento é, comprovadamente, uma estratégia ineficaz, precisamos enfatizar bastante que a prática de atividade física na sua rotina de estilo de vida é, sim, de extrema importância para a saúde e o bem-estar geral em longo prazo.

Considere novamente o PURE Study, mencionado no segundo capítulo deste livro (página 27, nota 12), que analisou mais de 130 mil pessoas de dezessete países de baixa, média e alta renda, incluindo o Brasil, e que conclui que:

> Mais atividade física recreacional e não recreacional foi associada a um menor risco de mortalidade e eventos cardíacos em indivíduos de países de baixa, média e alta renda. Aumentar a atividade física é uma estratégia global simples, barata e facilmente aplicável e que pode reduzir mortes e eventos cardíacos em pessoas de meia-idade.

O melhor exercício é aquele que se adapta ao seu estilo de vida e que o faz se sentir bem. Outro ponto que eu particularmente defendo é a importância de mantermos nossos músculos ativos de alguma forma. Isso não significa malhar pesado e virar fisiculturista, mas sim fazer uso de seus músculos mantendo-os ativos no dia a dia.

Além do mais, a massa muscular ao longo da vida é um marcador forte de longevidade. Exercitar seus músculos colabora positivamente para sua saúde mitocondrial,[97] sendo que muita doenças sérias, como o câncer, agora estão sendo investigadas como doenças mitocondriais. Se formos pensar, faz sentido: afinal, as mitocôndrias são as organelas produtoras de energia nas nossas células, e quanto mais saudáveis e ativos são nossos músculos, mais mitocôndrias eles têm.

Ainda sobre exercícios, mais uma vez a qualidade é mais importante do que a quantidade, e poucos têm consciência disso. Exercícios curtos intervalados de alta intensidade, por exemplo, têm coletado um sólido corpo de evidência que mostra sua vantagem sobre os exercícios tradicionais de baixa intensidade e longa duração. Além do mais, se pararmos para pensar, também faz mais sentido evolutivo.

Exercícios intervalados de alta intensidade consistem basicamente em você se exercitar de forma intensa por, por exemplo, 30 segundos, enquanto descansa de 60 a 120 segundos e depois repete o exercício intenso por mais 30 a 45 segundos, e assim por diante, por uns 10 a 15 minutos no total. Essa é apenas uma amostra e o exercício em questão pode ser qualquer coisa que você goste de fazer e que lhe possibilite variar em intensidade, como tiros de corrida, nado, pular corda etc. Muitos esportes também proveem automaticamente uma atividade nesses moldes, como futebol, basquete, handebol, tênis etc.

Esse tipo de atividade intervalada e de intensidade variável parece fazer mais sentido evolutivo do que atividades longas, constantes e de baixa intensidade, como esteira, bicicleta ergonômica, corridas longas, jogging etc.

Ainda, sobre exercícios de força, é plenamente possível e até vantajoso hoje em dia manter uma ótima saúde muscular praticando exercícios ao ar livre, sem equipamentos, e até dentro de casa, de forma funcional e somente com o peso do corpo. Não há desculpas para ficarmos

97. Skeletal muscle mitochondria: a major player in exercise, health and disease. Disponível em: <www.ncbi.nlm.nih.gov/pubmed/24291686>. Acesso em: 28 jun. 2018.

inertes, ainda mais depois de sentir a energia extra que a Alimentação Forte irá prover.

Por último, acho importante termos em mente nossas prioridades.

Muita gente que está estressada, acima do peso e com um estilo alimentar tóxico não terá vontade nem disposição para se exercitar, e isso faz todo o sentido, pois, como vimos, apesar dos grandes estoques de gordura no corpo, a situação hormonal não permitirá que essa energia seja utilizada, afinal, os altos níveis de insulina no sangue bloqueiam a lipólise, isto é, a quebra de gordura para uso como energia. Logo, a estratégia mais inteligente nesse cenário é focar no que dá mais resultado, ou seja, focar em implementar um estilo alimentar correto como o da Alimentação Forte.

Depois, ao corrigir sua alimentação e começar a regularizar seu sistema metabólico e hormonal, desbloqueando sua queima natural de gordura, você começará a se sentir melhor, com mais energia e disposição. Quando isso acontecer, você sentirá uma vontade espontânea de se exercitar de alguma forma, e é nesse ponto que tudo começa a melhorar de vez. Portanto, vamos facilitar nossa vida e focar primeiro no que mais importa: Alimentação Forte e depois Exercício Forte.

Você e o estresse

Lembre-se, um emagrecimento correto e natural é aquele que lhe faz se sentir bem no processo, não mal. Portanto, um dos grandes problemas das dietas restritivas comuns por aí, que focam primordialmente no controle calórico, é que elas provavelmente deixarão você mais estressado.

Isso é terrível porque, apesar de não ser muito divulgado, o estresse promove, sim, o ganho de peso e dificulta bastante o emagrecimento. O hormônio cortisol tem como objetivo liberar glicose na corrente sanguínea, e nesse ponto você já deve saber que isso, por sua vez, irá estimular a insulina, o que por si só promove o armazenamento de gordura e o bloqueio da queima.

Considere esse estudo[98] que mostra que ao injetar apenas 50 miligramas de cortisol sintético em pessoas normais e saudáveis quatro vezes ao dia por cinco dias fez com que os níveis de insulina no sangue dessas pessoas saltassem em 36%.

Outro estudo[99] que analisou o que acontece quando as pessoas param de tomar prednisona (cortisol) verificou que essa mudança resultou em uma redução de 25% nos níveis de insulina no sangue, bem como em perda de peso de 6% e redução de 7,7% na circunferência abdominal.

O aumento do estresse (cortisol), além de ser deletério em vários outros aspectos, resulta em maior propensão para ganho de peso e menor para emagrecimento, logo, ao vivermos cronicamente estressados, com níveis de cortisol frequentemente altos, dificultamos muito nossa vida. Nesse contexto, dietas sofridas e restritas só irão piorar a situação.

Por fim, tenha em mente que o cortisol, assim como a insulina, é um hormônio importante e vital quando funcionando normalmente, ou seja, quando seus estímulos são esporádicos. Os problemas sempre acontecem quando nós emperramos os mecanismos com nossos hábitos incorretos.

Lembre-se, o objetivo de tudo aqui é que você se sinta bem antes, durante e depois do processo, afinal, não faz sentido algum emagrecer em detrimento da sua própria saúde física e mental.

---

98. Hyperinsulinemia is not a cause of cortisol-induced hypertension. Disponível em: <http://www.ncbi.nlm.nih.gov/pubmed/7917157>. Acesso em: 9 fev. 2018.

99. Effects of prednisone withdrawal on the new metabolic triad in cyclosporine-treated kidney transplant patients. Disponível em: <http://www.ncbi.nlm.nih.gov/pubmed/12371987>. Acesso em: 9 fev. 2018.

12.
MOTIVAÇÃO
E CAMINHO
ADIANTE

Você acabou de fazer algo extremamente incomum nos dias de hoje por dois motivos diferentes. Primeiro, terminou o que começou, leu este livro até o fim, e, segundo, decidiu priorizar saúde na sua vida e dedicar o tempo necessário a aprender como, de fato, conseguir atingir seus objetivos de forma correta, natural, cientificamente embasada e duradoura. Por isso, meus parabéns duplos a você!

Então veja o seguinte: se existe uma mensagem central por trás de tudo que vimos até agora, é que o conceito de dieta está fundamentalmente errado e é apenas uma semente de frustração, tensão e estresse. Nenhuma mudança verdadeira e sustentável em termos de boa forma e saúde irá acontecer a menos que você transforme sua forma de viver, ou seja, seu estilo de vida, um hábito de cada vez.

No entanto, essas mudanças de hábitos só irão se cristalizar definitivamente se fizerem você se sentir bem no processo, afinal, é somente quando os benefícios do que se está fazendo são sentidos na pele que se tem a certeza de que se está no caminho certo, não é verdade? Você merece os frutos dos seus esforços. Viver de forma saudável é se sentir bem no processo. Já nos privamos demais, é hora de liberdade alimentar!

Até agora, vimos que a qualidade do que você come tem supremacia sobre a quantidade, isto é, o que você come é mais importante e tende até a ajustar de modo espontâneo as quantidades do que você come.

Entendemos como cada macronutriente é metabolizado de forma diferente no corpo e que, portanto, todas as calorias não são iguais. Com isso, quebramos o paradigma quantitativo da boa forma que ainda aprisiona a maioria da população.

Nós entendemos a diferença crucial entre alimentos de verdade e substâncias comestíveis e como nossa saúde e boa forma dependem de como equilibramos essa balança. Libertamo-nos de vários mitos populares ao entender que as gorduras naturais e o colesterol da alimentação não somente são inofensivos, mas absolutamente necessários para uma saúde de ferro e boa forma.

Por fim, você aprendeu como o estilo de vida da Alimentação Forte é sustentado por três pilares fundamentais: a própria prática da Alimentação Forte, a priorização da densidade nutricional dos alimentos e a aplicação correta do jejum intermitente como estilo de vida.

Você agora tem toda a informação de que precisa para começar a tomar as rédeas das próprias saúde e boa forma, pois é somente quando você vive de forma alinhada com seu corpo, ambos andando no mesmo caminho e não mais em direções opostas, que você tira um grande fardo das costas e começa, talvez até pela primeira vez, a sentir verdadeiramente o quão incrível e natural é viver na própria pele, no seu corpo, que é seu e de mais ninguém.

Além do mais, não se surpreenda se essas mudanças positivas começarem a irradiar também em outras áreas da sua vida, como profissional, relacionamentos etc., afinal, um novo você é capaz de novas conquistas! Corpo saudável é mente saudável.

O que esperar a partir de agora

O mais importante de se ter em mente no momento é que as mudanças que você começará a aplicar agora serão para a vida toda. Logo, tenha a calma e a serenidade de alguém que está transformando sua forma de viver de maneira permanente. Esse é um presente que você está dando a si próprio.

Cada novo hábito que você desenvolve é um passo na direção certa. Escute seu corpo, preste atenção em como se sente e siga em frente no seu tempo.

Agora, como em toda quebra e construção de novos hábitos, de um novo estilo de vida, o início é normalmente a parte mais desafiadora. Por isso, espere que as primeiras semanas do seu processo sejam as mais difíceis, afinal, você está revertendo talvez uma vida de hábitos diferentes. À medida em que você segue, note como seus novos hábitos começam a se tornar mais naturais, como você começa a se sentir diferente e como voltar atrás para os seus hábitos antigos é o que passa a ser algo inimaginável.

Tenha também em mente que as pessoas ao seu redor, apesar de quererem seu bem, poderão resistir de forma cética às suas novas mudanças. Vimos que isso é um comportamento normal do ser humano, uma vez que é instintivo que o grupo queira que cada indivíduo se adapte a ele. No entanto, saiba que a sua jornada é a sua jornada e de mais ninguém. Aliás, quando acontecer, veja com um sorriso no rosto como algumas das pessoas que podem ter resistido à sua mudança no início, agora podem ter sido inspiradas por ela e passar a pedir dicas para você.

Veja comigo como a vida da Camilla, por exemplo, mudou com esse novo estilo de vida.

Camilla Rabello Rehder (72 quilos eliminados!)

Funcionária pública que cresceu como irmã mais nova repleta de "comida" nada nutritiva, numa educação alimentar que começou errada desde o berço. Ao longo do tempo e já na fase adulta, Camilla piorou a situação já não tão favorável com a bebida em demasia. Após diversas dietas malucas e remédios milagrosos, viu que era hora de parar de querer ir atrás de uma solução mágica e assumiu a responsabilidade sobre sua condição. Era 2015, e ela resolveu que era preciso mudar.

Porém, somente em 2017 deparou-se com as maravilhas de uma Alimentação Forte mais baixa em carboidrato e deu um basta de vez no antigo estilo de vida.

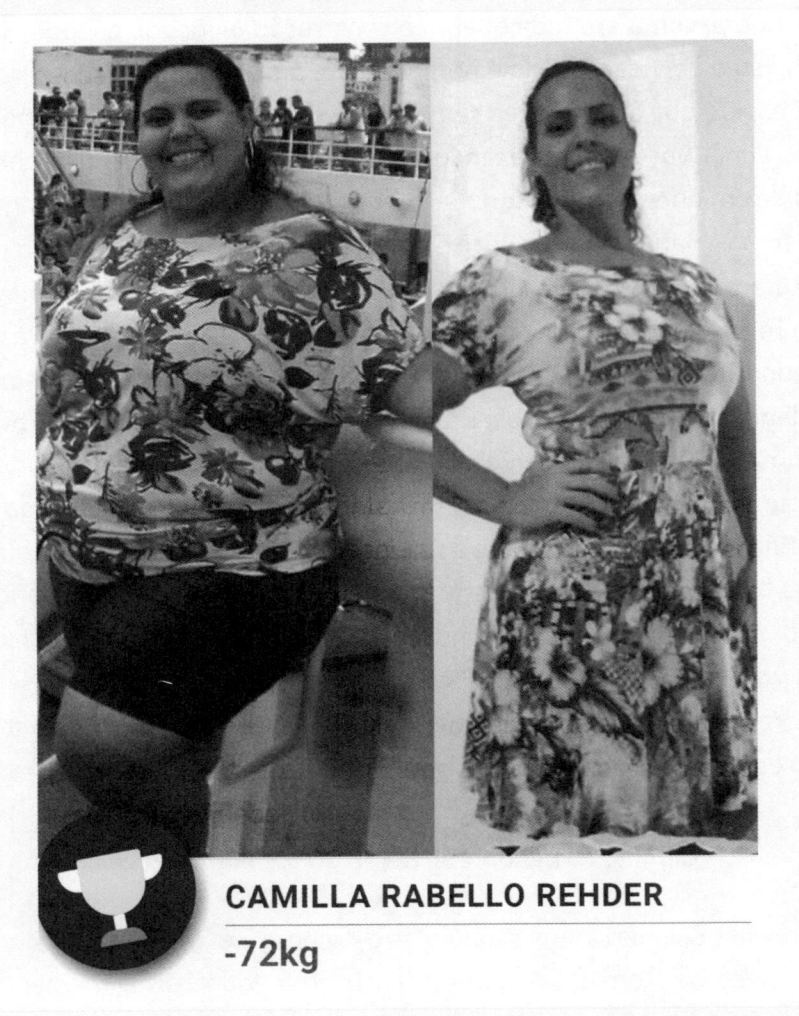

CAMILLA RABELLO REHDER

-72kg

Antes disso ela já tinha seguido religiosamente as já tradicionais dietas, nas quais se come tudo integral, a cada duas ou três horas, versões light, sem sal, sem gordura, sem graça. Funcionou? Sim, com tantas restrições e sofrimento ela conseguiu resultados temporários enquanto aguentou seguir em frente. Foram embora uma enxurrada de quilos, mas ela continuava se alimentando mal, doente (pré-diabética, com gordura no fígado) e se obrigando a frequentar a academia. Isso durou até conhecer novos caminhos comprovadamente melhores por meio da ciência, indo parar no programa Código Emagrecer De Vez.

Camilla conta que está infinitamente mais feliz! Quer gritar ao mundo, influenciar pessoas com a Alimentação Forte, mostrar o quanto ganhou de saúde e disposição. Ela hoje se sente mais atenta, teve a concentração melhorada e diz que "até solucionar problemas parece mais fácil".

Proclamando ter sido maravilhoso conhecer o Código Emagrecer De Vez, afirma que a fase do desafio livrou-a do vício de algumas comidas e foi quando realmente aprendeu a lidar com sua fome, praticar o jejum intermitente e ter até prazer de ir para a academia. Aos poucos, curou-se da pré-diabetes, estabilizou o problema de pressão alta, curou a síndrome do ovário policístico, otimizou os níveis de ácido úrico e muito mais.

Depois de ter chegado a 160 quilos, Camilla hoje está com 88 e diz que não vai parar por aí. Seu novo vício é ser cada vez mais saudável!

Neste ponto final da nossa jornada, espero que possa tê-lo inspirado a transformar sua vida, sido didático o suficiente para lhe explicar os conceitos e o motivado a ver como seus maiores objetivos de saúde e boa forma podem estar ao seu alcance com a implantação do estilo de vida da Alimentação Forte, que nos reconecta aos hábitos que estamos evolutivamente programados para ter.

Esse estilo de vida trouxe liberdade alimentar para minha vida e me permite hoje viver cada dia sendo a absoluta melhor versão de mim mesmo. Com olhos emocionados, eu agradeço de coração por todo o apoio e a aceitação da minha família deste meu jeito rebelde e errático de ser e pelo enorme privilégio de ter podido também ajudá-los a viver hoje na melhor saúde e boa forma de sua vida.

Obrigado por sua confiança, atenção e boa vontade. Espero sinceramente que em breve você possa se juntar a outros milhares de pessoas que estão transformando suas vida e seu corpo definitivamente com essa nova forma de viver. Um forte abraço e viva plenamente! Bem-vindo à Alimentação Forte!

Para aqueles que querem ir além, querem emagrecer com absoluta prioridade e gostariam de um guia, um método, passo a passo, semana a semana, para implementar uma Alimentação Forte especialmente otimizada para queima de gordura, de forma natural e sem sofrimento, tenho um convite.

Convido você a conhecer meu programa on-line de emagrecimento Código Emagrecer De Vez que já ajudou, literalmente, dezenas de milhares de pessoas a atingirem o melhor peso de suas vidas e é totalmente fundamentado na melhor ciência nutricional disponível no mundo hoje. Ele o guia ao longo de três fases poderosas, do início ao fim, até você atingir a melhor forma da sua vida e lhe dar a habilidade de mantê-la para sempre, sem sofrimento, sem comer menos, sem balelas.

Visite agora e veja a apresentação do programa em: <http://codigoemagrecerdevez.com.br>.

Já acessou seus brindes?

Você tem direito a alguns brindes especiais por ter adquirido este livro!

Já os pegou?

Faça isso rapidamente neste link: <http://estenaoemaisumlivrode-dieta.com.br/brindes/>.

Vamos manter contato?

Conecte-se e faça parte ativa dessa família incrível de pessoas do bem, positivas, em forma e saudáveis:

- Rodrigo Polesso no Instagram: @rodrigopolesso.
- Site Emagrecer De Vez e Programas De Emagrecimento: <http://emagrecerdevez.com>.
- Portal da Tribo Forte e podcasts: <http://triboforte.com.br>.
- Emagrecer De Vez no Facebook: <www.facebook.com/emagrecerdevez/>.
- Emagrecer De Vez no Instagram: @emagrecerdevezoficial.
- Emagrecer De Vez no YouTube: <www.youtube.com/EmagrecerDeVez>.

Este livro foi impresso pela Gráfica Assahi em
papel pólen bold LD 70g em novembro de 2020.